GW00858166

TROP CLASSE, LA SIXIÈME !

LES AVENTURES HÉROÏQUES D'UN GARÇON PAS HÉROÏQUE DU TOUT…

RESPONSIBILITÉ
BLAH BLAH
BLAH BLAH

TROP CLASSE, LA SIXIÈME !

LES AVENTURES HÉROÏQUES D'UN GARÇON PAS HÉROÏQUE DU TOUT…

Robin Mellom - Stephen Gilpin

Traduit de l'anglais (américain) par Sabine Boulongne

SEUIL

Pour tous mes anciens élèves qui m'ont tant appris !

R.M.

Pour Nemo, Makena et Talulabel, mes collégiens.
Je ne vous envie pas, mais alors pas du tout !

S.G.

Merci à Gérard Minkov, 12 ans, pour ses conseils avisés

S.B.

Édition originale publiée en 2012 sous le titre *The Classroom*
par Disney – Hyperion Books, une marque de Disney Book Group, New York.

ISBN : 978-2-02-110267-3

Conforme à la loi n° 49-956 du 16 juillet 1949
Sur les publications destinées à la jeunesse.

www.seuil.com

>>Production : LA CLASSE

Derrière les murs en brique du collège Westside dans Miller Street, il y a des tables. Des casiers aussi. Des fiches d'exercices, des manuels, des stylos, des crayons, des couloirs dont le lino grinçant est astiqué chaque vendredi, aux environs de seize heures.

Comme c'est un collège, on y trouve aussi des bulletins de colle. Roses. Une réserve inépui-sable, semble-t-il.

Plus important encore, derrière ces murs, il y a des gens. Qui ont des faiblesses, et des forces. De bonnes habitudes, d'autres gênantes. De belles fringues et des habits vraiment moches.

On y trouve un principal et un principal adjoint, des profs, des agents d'entretien, des conseillers, et, bien sûr, des élèves. Notamment Trevor Jones, un élève moyen, ordinaire. Il est en sixième.

Ce documentaire avait pour objet de vous présenter sa véritable histoire et celle de ses camarades tout aussi moyens et ordinaires que lui.

Or, ce que nous avons découvert est loin de la moyenne. C'était même très au-dessus de la moyenne, dans l'ensemble, avec des moments nettement au-dessus, pour ne pas dire extrêmes. D'ailleurs, comme vous allez le constater par vous-mêmes, nous avons assisté à des épisodes d'un héroïsme absolu.

Les pages qui suivent vous révéleront la réalité de cette épopée, vue des coulisses.

Westside est leur collège.

Et voici leur histoire.

WESTSIDE
COLLEGE

LE JOUR DE LA RENTRÉE

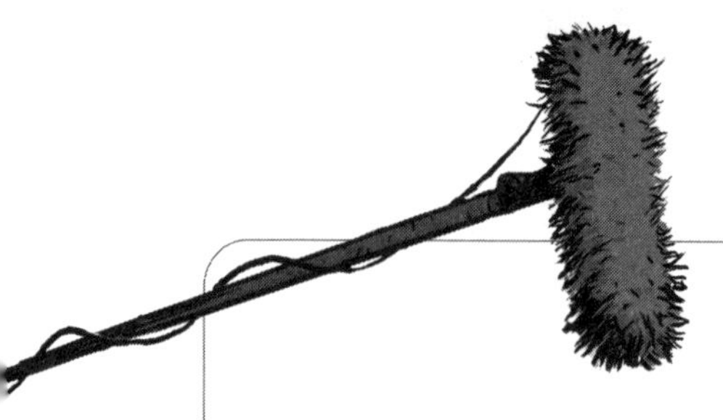

Trevor Jones

Élève de sixième

En train de faire
les cent pas au
bout de son allée

7 h 52

D'accord, j'avais la belle vie en primaire. Pas de problèmes de discipline. Que des super notes. Et personne n'avait une collection de cartes de base-ball comme la mienne. Vous avez déjà vu une Johnny Bench 1973 ? J'en avais une, que je gardais tout le temps sur moi, enveloppée dans un sac à sandwich. Je l'appelais « ma carte fétiche ». Je n'en ai plus besoin, maintenant.

Je suis en pleine métamorphose. Je peux même me passer de mon stylo porte-bonheur. Eh ouais ! Je ne gribouillerai plus, comme l'année dernière. Même pas en cas d'urgence. Ni quand je m'ennuie. Tout a changé. Le collège, ce n'est pas de la tarte ! On n'a même pas le temps de faire la queue pour boire de l'eau après la récré. Plus de récré, en fait !

(Il croise les bras sur son ventre.)

Est-ce que je m'inquiète pour la rentrée en sixième ? Mais non ! J'ai l'intention de faire ça bien. J'arrête de trop réfléchir. Je vais y aller relax, sans trop cogiter. D'ailleurs, je n'ai même pas pensé à ce que j'allais porter. J'ai enfilé les premiers habits qui me sont tombés sous la main.

Je me suis raisonné en me disant : Tant qu'on ne me fait pas une balayette dans le couloir, qu'on ne me tabasse pas, que je ne me retrouve pas estropié, tout va bien. Pas vrai ?

(Il se balance d'un pied sur l'autre, peut-être parce qu'il a froid.)

Ça pourrait quand même m'arriver.

Bon… faut que je me grouille si je ne veux pas rater mon bus.

Je ne me fais aucun souci pour le trajet. Aucun. Sauf s'il y a des cinquièmes dans le coin. On raconte plein de trucs sur eux. Ils me fichent la trouille, les cinquièmes. Et quand le chauffeur du bus n'ouvre pas la bouche, ça me fout les boules. Les chauffeurs de bus muets me terrifient encore plus que les cinquièmes. C'est vrai, pourquoi rester muet comme une tombe… Franchement, c'est flippant. Et je ne vous parle pas du sol tout collant du bus. Ou de l'absence de ceintures de sécurité. D'ailleurs, comment est-ce qu'un véhicule aussi vieux peut encore rouler ?

Mais bon… fini de gamberger, j'ai dit. Ça, c'était l'année dernière.

Cette année, je repars de zéro. Terminés, les cartes de base-ball, le stylo porte-chance, les petits crobars. Même quand je flippe.

Tout va bien se passer.

Par-fai-te-ment bien.

CHAPITRE UN

TREVOR JONES GRIMPA SA RUE AU PAS DE COURSE, son stylo porte-bonheur calé dans la poche latérale de son sac à dos.

Il portait une tenue flambant neuve qui avait demandé des semaines de réflexion. Hors de question qu'il franchisse les portes du collège sans être fin prêt, et tiré à quatre épingles. Heureusement, sa mère aussi était prévoyante. Juste avant qu'il quitte la maison, elle avait vérifié sa liste, comme à chaque rentrée.

– J'ai ôté toutes les étiquettes de tes habits, lui avait-elle dit.

– Aux manches, aussi ?

– J'ai congelé ton bâton de yaourt pour qu'il soit à la température idéale à l'heure du déjeuner.

– Aux fruits rouges ?

– J'ai pris soin d'appeler tous tes professeurs pendant la semaine de préplanning pour leur faire part de ton problème.

– Mes angoisses ?

– Il le fallait, Trevor. Ça figure dans ton dossier scolaire, avait-elle souligné en ajustant son col.

Mme Jones attachait autant d'importance à un look irréprochable qu'aux aliments à la bonne température. C'était le genre de maman qui ne se perd pas en bla-bla. Une phrase ou deux lui suffisait à se faire comprendre.

– Fais comme l'année dernière. Ta maîtresse n'a eu aucun souci.

C'était faux, mais Mme Jones avait décidé depuis longtemps qu'il y avait des moments où l'exagération s'imposait dès lors que c'était pour la bonne cause – à savoir, aider son fils à régler ses problèmes d'anxiété.

Elle lui ébouriffa les cheveux.

– J'ai acheté un paquet de Zingers à la framboise. Tes préférés. Si tu t'en sors bien aujourd'hui, il est à toi. Je sais que tu peux y arriver.

Trevor sentit son estomac gronder. Il adorait les Zingers fourrés à la framboise, et il avait rarement droit à des sucreries. Sa mère prenait décidément très au sérieux sa stratégie de motivation. Elle savait qu'il serait prêt à faire les pieds au mur pour une de ces délicieuses barres fruitées.

BULLETIN SCOLAIRE DE TREVOR. CM2

TREVOR JONES

MATIÈRES	NOTES			
	1	2	3	4
Maths	A	A	A+	A
Sciences	A+	A+	A	A+
Lecture	A	A	A	A
Musique	A	A	A	A
Éducation physique	A-	A-	A-	A-
Histoire	A	A	A	A
Géographie	A	A	A	A
Écriture	A	A	A	A
Orthographe	A	A	A	A
ABSENCES	0	0	0	0
RETARDS	0	0	0	0

COMMENTAIRES

Record de présence ! Bravo !
En revanche Trevor gribouille souvent dans son carnet
et parle constamment de cartes de base-ball.
Il s'inquiète de la température dans la pièce,
de la fréquence d'arrosage des plantes
et de tout un tas d'autres choses.
Consommerait-il trop de sucre ?
Je me fais du souci pour lui l'année prochaine au collège.
BEAUCOUP DE SOUCI.

En réalité, Trevor aurait fait n'importe quoi pour ne pas la décevoir. La tête qu'elle a quand elle est déçue ! De quoi faire fondre la banquise !

Il attrapa son sac et Mme Jones en profita pour arracher une étiquette oubliée avant de lui suggérer de se mettre en route.

Des habits neufs, certes, mais des chaussures tout éraflées, salies exprès. Pour faire usé. Libby lui avait dit qu'au collège, il fallait absolument avoir des pompes qui donnent l'impression qu'on avait escaladé l'Everest avec – ou gardé un troupeau de chèvres, piétiné des grappes de raisin ou des braises. Plus elles sont crades, mieux c'est. Seuls les geeks portent des chaussures propres. Trevor ne voyait pas où était le problème, mais il avait toujours suivi les consignes de sa meilleure amie à la lettre.

Le mail qu'elle lui avait envoyé la veille lui recommandait aussi de regarder *le Seigneur des anneaux* en boucle pour être sûr d'avoir quelque chose à raconter. Comme si ces godasses ridicules ne suffisaient pas...

Il les examina une fois de plus pour s'assurer qu'elles étaient suffisamment amochées et les racla encore un peu contre le ciment.

Il aurait bien aimé arriver au collège sans avoir à penser à tout ça. Fallait-il que son problème d'angoisse perpétuelle, consigné dans son dossier, le suive partout ? Ce dossier, c'était comme un chat errant affamé qui ne veut pas vous lâcher.

En arrivant à l'arrêt de bus, il aperçut Libby, sa copine du bout de la rue, qu'il connaissait depuis qu'ils étaient tout petits. Il pouvait toujours compter sur elle pour lui envoyer des messages de rappel, à propos de la tenue qu'il devait mettre, par exemple, ou de ce dont il devrait parler à ses camarades le jour de la rentrée.

Ils n'avaient pas choisi d'être amis au départ, Libby et lui, mais avec le temps ils étaient devenus les meilleurs potes du monde. Ils se connaissaient si bien qu'ils pouvaient jouer à des jeux vidéo des heures sans être obligés d'échanger un mot. En fait, ils n'avaient pas besoin de se parler pour se comprendre. Enfin... jusqu'à aujourd'hui !

Libby se dirigea droit sur lui.

– Il faut qu'on parle. On est amis depuis toujours, pas vrai ?

Elle redressa sa minijupe en jean bien repassée. Trevor remarqua qu'elle avait un ruban dans ses cheveux. Une première ! Et des ongles scintillants. Bizarre.

– Évidemment, Lib. On a appris à faire sur le pot ensemble. Comment pourrais-je oublier ça ?

Il la fusilla du regard, primo parce qu'il n'avait pas forcément envie de se rappeler ce passé commun, secundo parce qu'il se demandait qui avait remplacé sa copine. Ou quoi ?

Libby Gardner n'était pas du genre à porter des jupes ou des rubans dans les cheveux, ni à mettre du vernis à paillettes sur les ongles. Sa devise était : On n'a besoin de rien d'autre dans la vie qu'une paire de baskets et une veste sympa.

Elle aurait pu participer à une de ces émissions de survie où il faut se tirer d'affaire avec du fil dentaire au milieu d'un blizzard en plein Arctique. Alors qu'à lui, il faudrait un générateur, un accès à Internet et tout le tintouin. Les reality shows, ce n'était pas son truc...

La seule concession que Libby faisait vis-à-vis de sa devise, c'était sa trousse Hola Kitty. Et aussi son portefeuille, ses lacets et son carnet de croquis Hola Kitty. Cependant, elle ne considérait pas ça comme des trucs de fille. Pour elle, c'étaient surtout des trucs qui avaient toutes les chances de devenir des objets de collection. Pas de honte à avoir !

Et voilà que pour la rentrée en sixième, elle avait mis une jupe. Propre. Repassée.

Un événement !

Quand ils jouaient dans la boue, enfants, elle ne se contentait pas de faire des pâtés. Elle créait des civilisations entières, avec des structures gouvernementales démocratiques et tout et tout. Couverte de gadoue, elle se sentait plus à son aise pour accorder le droit de vote à un peuple en boue imaginaire.

Trevor se pinça le coude, se demandant avec inquiétude s'il n'était pas encore au lit en train de faire un rêve bizarre.

– On entre au collège, mon pote. Tu dois changer, cette année. Comme moi.

Libby tira nerveusement sur sa jupe, dans laquelle elle n'avait vraiment pas l'air à l'aise.

Trevor hocha la tête. Même si elle avait un comportement étrange, il allait devoir se soumettre à sa volonté. Pas parce qu'elle était autoritaire (Libby préférait dire « intelligente ») ou qu'elle avait toujours raison (Libby préférait dire « intelligente »), ni même parce qu'elle était intelligente. Mais à cause de son sens des détails. Surtout quand il s'agissait de le tirer de situations gênantes.

Comme lors de la grande Catastrophe de l'oral en CE2, quand il avait oublié ses fiches à la maison et qu'il était resté planté bêtement devant toute la classe... Libby avait volé à son secours en expliquant à la maîtresse qu'il avait perdu sa voix en sauvant Fiddles, son vieux chat tigré, coincé sur le toit de chez elle pendant une averse. La maîtresse avait félicité Trevor et lui avait accordé une semaine supplémentaire pour préparer son exposé.

Il y avait eu aussi l'horrible Incident de la glissade sur la purée de pommes de terre, en CM1. Trevor s'était retrouvé les quatre fers en l'air au milieu de la cantine. Réagissant au quart de tour, Libby avait expliqué à tout le monde qu'il avait fait un vol plané en voulant tuer une veuve noire. Et qu'il avait sauvé un élève de la piqûre de cet arachnide venimeux. Elle avait bien utilisé le mot arachnide. Super impressionnant ! Et Trevor avait eu droit à une part supplémentaire de croquettes de pomme de terre. Pendant une semaine entière.

Libby n'hésitait pas à exagérer, mais seulement pour les bonnes raisons.

Malgré ses menaces de bouleversement et cette tenue abracadabrante, Trevor ne s'angoissait pas du tout. Pour ce qui était de sa vie sociale, Libby serait là pour le soutenir.

– On a toujours traîné ensemble toi et moi, reprit-elle, mais je pense qu'il est temps…

Elle s'interrompit, se redressa de toute sa taille, se racla la gorge et poursuivit d'un ton assuré :

– … de nous insérer socialement.

Qu'est-ce qu'elle racontait ?

– Nous insérer ? Comment ?

– Nous faire des amis, Trevor. D'autres amis.

Elle disait ça à chaque rentrée depuis le CE1. Pas toujours avec ces mots-là, mais le résultat était le même.

Et à chaque rentrée, Trevor se retrouvait très vite dans une situation gênante. Et Libby finissait par intervenir pour le secourir et tout redevenait normal.

Trevor se balançait sur ses talons en secouant la tête, persuadé que ça se passerait exactement comme les années précédentes.

– On reste amis, ajouta Libby d'une voix suave. Je pense juste qu'on devrait arrêter d'être amis amis.

Qu'est-ce que ça voulait dire amis amis, d'abord ?

Les traits plissés par la concentration, il essayait de comprendre.

Libby voyait bien qu'il se donnait du mal. Il allait falloir qu'elle formule les choses autrement si elle voulait qu'il capte. Elle ne plaisantait pas, cette fois, même si ça lui retournait l'estomac.

– On va élargir le cercle, tu vois. Nos horizons. Ce genre de choses.

Pour faire plus d'effet, elle se dressa sur la pointe des pieds, espérant qu'il ne verrait pas qu'elle se tenait le ventre. Et qu'il comprendrait que c'était une bonne idée.

– Mais..., l'interrompit-il, sans succès.

– On doit partir sur de nouvelles bases. On entre au collège, quand même !

Trevor se demanda si elle parlait sérieusement. S'attendait-elle vraiment à ce qu'il s'en sorte sans elle à ses côtés pour le protéger ?

– Je ne peux plus passer mon temps à te suivre à la trace pour t'éviter les ennuis.

Trevor flanqua un coup de pied dans la poussière.

– Mais la purée de pommes de terre... c'est super glissant.

– Je vais y arriver, et toi aussi. On va se trouver d'autres amis.

– Qu'est-ce que tu racontes ? J'en ai déjà.

– Ah bon ! Qui ça ?

TROUVÉ DANS LE CARNET
DE CROQUIS HOLA KITTY DE LIBBY,
PLANQUÉ DANS SON CLASSEUR

Trevor Jones. Mon meilleur ami.
Qui a absolument besoin d'un coach.

HOLA! Kitty !

– Ryan.

– Il est parti vivre en Allemagne.

Elle fit passer son sac à dos sur son autre épaule et croisa les bras sur sa poitrine.

– Bon euh, alors, Tommy White.

– Le gamin de CP à qui tu as donné des cours l'année dernière ?

Elle tapait du pied maintenant.

– Reese. Je suis copain avec lui.

Elle leva les bras en l'air.

– Le concierge de l'école ! Trevor ! Tu devrais arrêter de te porter volontaire pour les corvées de ménage.

– Allons, Lib, tu ne vas pas te mettre à jouer les grandes sœurs avec moi. J'ai trois semaines de plus que toi. Et l'année prochaine, je prévois de faire au moins deux centimètres de plus que toi.

Il étira le cou pour voir si le bus arrivait. Il avait horreur d'être en retard. Du reste, il était capable d'accomplir n'importe quoi dès lors qu'on lui fixait un délai. Les devoirs, les corvées, être à l'arrêt du bus en avance. Il était même né à la date exacte prévue par le médecin. Il était du genre à arriver à l'école à l'heure, en toutes circonstances, même s'il avait un truc qui lui poussait dans l'oreille.

Il n'avait pas eu le prix de l'Exactitude pour rien !

– Je suis contente que tu aies décidé de grandir, riposta Libby, mais tu ferais mieux de chercher à devenir copain avec un mec cool.

Aussitôt, Trevor se mit à penser à des types cool. Jimmy Butler ? Non, il grignotait ses gommes. Zach Webber ? Pas possible, il jouait avec des allumettes. Noah Dawson ? Il n'était jamais à l'heure aux cours.

– Tu as peut-être besoin de quelques conseils, en fait.

Libby entrelaça ses doigts. Elle faisait toujours ça quand elle avait une idée derrière la tête. C'était sa posture favorite, en fait.

– Tu es déjà en bonne voie. Tes chaussures sont tout éraflées. C'est bien.

– J'ai lu ton mail.

– En entier ?

– Il y avait toute une liste. Et les mots clés étaient en gras. Oui, je l'ai lu.

– Tu vas arrêter de te servir de ta carte de base-ball pour aborder les gens, alors ?

– Qu'est-ce que tu crois ? J'ai d'autres sujets de conversation. Comme si j'allais apporter ma carte au collège ! Non mais… Tu me prends pour qui ?

Trevor tendit discrètement la main vers la poche de son sac à dos et retourna sa carte fétiche.

– Tu n'as pas apporté ton stylo roller non plus ?

Selon Trevor, le stylo roller Vision Élite était le meilleur qu'on ait inventé pour gribouiller. Il lui portait chance en plus. Et la chance, à cet instant précis, était une chose dont il aurait aimé pouvoir se passer. Sauf que ça n'en prenait pas du tout le chemin.

– Je n'avais pas l'intention de m'en servir. Enfin, pas beaucoup. Je te rappelle que l'année dernière, tu étais bien contente que je te le prête pour dessiner dans ton carnet Hola Kitty.

– Je l'ai jeté, ce carnet.

Libby était consciente de déformer la vérité. Mais elle l'aurait vraiment mis à la poubelle s'il n'avait pas été question d'un objet de collection potentiel. Et si elle n'y tenait pas autant. C'était pour le bien de Trevor qu'elle mentait. Parce qu'il devait changer et qu'elle avait d'autres mauvaises nouvelles à lui annoncer.

Elle poussa un gros soupir. Le genre de soupir qui marquait le point de départ d'un projet important.

Du point de vue de Trevor, un « projet » n'impliquait rien d'autre que de la colle et une paire de ciseaux. Pas sa personne. Libby, elle, estimait que c'était un moyen de grandir sur le plan émotionnel.

Elle prit une grande inspiration et mit sa main sur sa hanche – comme à chaque fois qu'elle s'apprêtait à lui annoncer une nouvelle qu'il n'avait pas envie d'entendre.

– Il y a encore un truc dont il faut qu'on parle.

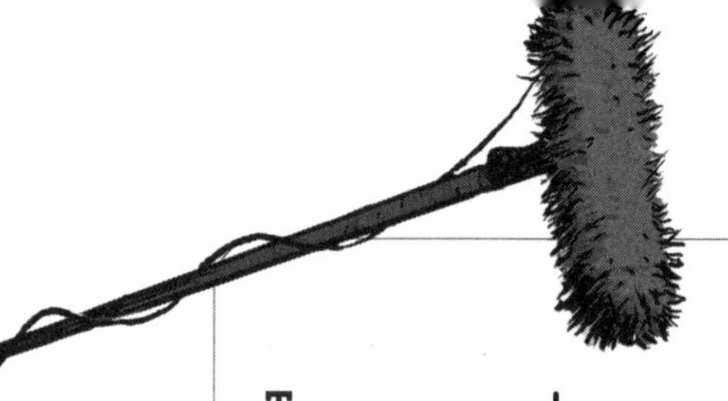

Trevor Jones

En train d'érafler ses chaussures sur le bord du trottoir

7 h 55

Pas de problème. Ça marche comme ça, entre nous. Elle me dit de me faire d'autres amis ? Okay. Je me retrouve dans une situation gênante. Elle me tire d'affaire. Et toc ! Retour à la normale.

On continuera sans doute comme ça jusqu'à ce qu'on soit deux vieux grincheux à jouer toute la journée à des jeux vidéo dans notre maison de retraite. Je ne m'inquiète pas.

Enfin, pas beaucoup.

Mais elle a intérêt à changer d'avis vite fait. Il paraît que le bus du collège est ni plus ni moins un véhicule pour l'enfer.

CHAPITRE DEUX

– LA SOIRÉE DE LA RENTRÉE...

– La... quoi ?

– Tu sais bien, la soirée organisée pour la rentrée des sixièmes. Tu invites une fille, tu fais la fête avec tes potes, tu danses comme un fou...

Libby lui tapota le crâne.

– Ça te dit quelque chose ?

Trevor ne voulait pas qu'elle sache que oui. Ça le hantait depuis des mois, en fait, mais il s'était dit qu'il irait avec elle, et qu'il n'aurait pas besoin de demander à une autre fille.

– On ne peut pas y aller ensemble...

– Tu ne veux pas de moi ?

– Il te faut un vrai rancard, Trev. C'est comme ça, au collège.

Elle se mordit nerveusement la lèvre.

Il allait devoir inviter une vraie fille ? Autre que Libby ? La fête avait lieu dans deux semaines… Il faut bien plus de temps que ça pour trouver le courage d'inviter une meuf à une soirée.

– T'inquiète pas pour moi, Libby, lança-t-il pourtant, les mains sur les hanches, tel un super héros, avant d'ajouter : Je maîtrise, je t'assure. Circulez, y a rien à voir.

– Je suis sérieuse, répliqua-t-elle en fronçant les sourcils. Arrête de plaisanter.

Il ne plaisantait pas du tout : il faisait semblant. Semblant d'être assez sûr de lui pour gérer la situation. Il avait quinze jours devant lui pour trouver quelqu'un, après tout.

– Ce n'est pas tout, reprit-elle. Tu dois te dégoter une fille avant ce soir.

– Quoi ? Ce soir ? Qui est-ce qui invente ces règlements à la noix ?

– Tout le monde sait qu'on doit trouver le premier jour. Après, il ne reste plus que les ringards. Pourquoi tu crois que je me suis faite belle comme ça ? Il faut que tu branches une fille aujourd'hui même. De préférence gentille. Bien sapée. Avec une super personnalité. Compris ?

Il haussa les épaules en se demandant comment il allait arriver au bout de sa première journée de collège sans se mettre dans une situation embarrassante tout en dénichant une partenaire pour la fête – surtout avec autant de qualités. Il n'y arriverait jamais !

– Je vais y arriver.

Libby le fixa un long moment. Se rappelait-il qu'il avait tendance à n'attirer que les filles qui aimaient les bagarres ?

– Tu te souviens de Nancy Polanski ?

Comment aurait-il pu l'oublier ? Nancy Polanski faisait de la gymnastique de compétition – des barres asymétriques –, et avait l'étrange habitude de manifester son intérêt pour les garçons en leur fichant des coups. Quand elle en appréciait un particulièrement, c'était dans l'estomac qu'elle frappait. L'année dernière, elle avait cogné dans celui de Trevor, tellement fort qu'il avait passé la journée à l'infirmerie avec un pack de glace sur le ventre. Il s'était juré de rester loin d'elle – au moins d'une longueur de bras – pour le reste de sa vie, voire plus.

– C'est notre première vraie fête, et c'est crucial, je te jure, insista Libby. Toutes tes futures soirées dépendent de la partenaire que tu trouveras aujourd'hui.

– Ça me paraît un peu extrême, Lib. Et bête. Qui est-ce qui t'a raconté ces salades ?

– Ma cousine de Flagstaff. Lana. Elle est passée par là. Elle est en terminale, alors elle sait de quoi elle parle. Si tu te ramasses un boulet cette année, tes chances de trouver une partenaire cool la prochaine fois diminuent d'environ 70 %. Et de 10 % à chaque soirée après ça, jusqu'à ce que...

Sa voix faiblit. Elle détourna le regard.

– Jusqu'à ce que quoi ? demanda Trevor en lui plantant un doigt dans l'épaule.

Elle inspira à fond avant de déballer d'une seule traite :

– Jusqu'à la soirée des terminales que tu passeras à lire le dernier exemplaire de *Jeux vidéo magazine* en t'enfilant des Slurpee – tout seul.

Trevor avala péniblement sa salive.

– T'es sûre ?

– Lana m'a dit que ça s'était déjà produit. Glauque, hein ? C'est pour ça qu'il faut absolument que tu invites quelqu'un de cool. Avant ce soir.

Libby se pencha vers lui en levant un sourcil.

– Je sais que le seul moyen pour toi d'accomplir quelque chose, c'est qu'on te fixe un délai, alors voilà : tu dois avoir un rancard... au-jour-d'hui.

Elle sortit sa calculatrice et enfonça frénétiquement des touches.

– Dans exactement...

Elle consulta sa montre.

– 434 minutes.

Libby aimait bien convertir les heures en minutes car ça rendait les choses plus dramatiques. Trevor, lui, trouvait que ça faisait un peu trop contrôle de maths.

– Libby ! Non !

Elle savait très bien que l'idée de ne pas tenir un délai le mettait super mal à l'aise.

Elle rangea sa calculatrice et posa ses mains sur les épaules de Trevor, à la manière d'un entraîneur de foot.

– Je vais y arriver, et toi aussi. On a toujours été scotchés ensemble, mais on est capables d'évoluer.

Elle plongea son regard dans le sien, comme le font tous les bons entraîneurs de foot. Trevor essaya de se dérober. En vain.

– Tout est différent en sixième, tu comprends ? On va s'insérer socialement. Se faire de nouveaux copains. Et d'ici ce soir, toi et moi, on va se trouver des rancards.

Il se dégagea d'une secousse.

– Pas de souci. J'ai changé depuis l'année dernière. Tu ne vas pas en revenir !

– Si tu ne veux pas m'écouter, demande conseil à quelqu'un d'autre au moins, d'accord ?

– T'inquiète.

– Pas à ta boule magique numéro 8.

– N'importe quoi !

Il prit note de cacher sa précieuse boule magique. Après s'être raclé la gorge, il ajouta d'une toute petite voix :

– Mais... on n'est plus amis alors ?

– Ce n'est pas qu'on n'est plus amis. Comme je te l'ai dit... on ne sera juste plus amis amis.

Trevor n'y comprenait rien mais comme elle paraissait satisfaite, il hocha la tête d'un air entendu. Est-ce qu'ils allaient quand même faire les trajets ensemble ? Depuis le CP, il se mettait à côté d'elle dans le bus. À la cantine aussi. Pendant les excursions. Les réunions. Ça lui facilitait la vie tout en lui permettant de barrer quelques lignes sur la longue liste de ses angoisses. *Ne me dites pas qu'il va falloir que je rajoute ça sur cette fichue liste ?*

– Tu vas continuer à t'asseoir avec moi dans le bus, dis ?

Elle secoua la tête.

– Et si je me mets près de toi sans te parler ? Ni te regarder. Ni prononcer ton nom à haute voix ?

Elle releva la courroie de son sac sur son épaule.

– Tu n'as plus besoin de moi comme avant, Trevor. Évite juste les flaques de purée.

Elle jeta un coup d'œil à sa montre avant de s'éloigner.

– Plus que 431 minutes, lança-t-elle par-dessus son épaule. Bonne rentrée, Trevor.

Elle se dirigea vers un groupe d'élèves qui faisaient déjà

la queue pour le bus. Trevor resta seul sur le trottoir. Comment être prêt à temps vu ce délai intenable ? Et surtout, comment s'en sortirait-il sans son amie ?

Ça lui paraissait carrément... impossible !

Car en plus de la Catastrophe de l'oral et de l'Incident de la glissade sur la purée de pommes de terre, il n'oublierait jamais l'atroce Erreur de toilettes qu'il avait commise en CE2. Libby avait fait taire la cascade de rires qui s'était déclenchée dans le couloir, en décrétant que, s'il s'était précipité dans les W-C des filles, c'est parce qu'il l'avait entendue s'étrangler. Elle avait même ajouté un détail croustillant, à savoir qu'elle était en train de grignoter des tomates cerises et qu'elle en avait avalé une entière en essayant de réparer la poignée cassée d'un box. Trevor n'avait pas compris ce qu'une porte de box endommagée avait à voir avec le fait de s'étouffer avec une tomate, mais tout le monde avait eu l'air impressionné par son courage. Du coup, le principal lui avait offert la cantine pendant toute la semaine.

Trevor n'arrêtait pas de se dire qu'il avait vraiment besoin de Libby, ne serait-ce que pour avoir tous ces trucs gratuits.

Et puis il était persuadé qu'il n'arriverait pas à se trouver une partenaire si elle n'était pas là pour lui épargner de se planter d'une manière ou d'une autre. Même avec les chaussures les plus cool et les plus crades du monde, sans son stylo porte-bonheur et sa carte fétiche qu'il était obligé de cacher, il ne se sentirait jamais assez gonflé pour inviter une fille.

Il décida de se la jouer cool et d'éviter toute situation gênante, dans la mesure du possible. Il devait se tenir aussi tranquille qu'une plante verte.

La grande majorité des élèves survivent à leur première année de collège sans subir d'humiliation majeure, se rappela-t-il avec insistance. Pourquoi se faire du souci ?

C'est alors que le véhicule pour l'enfer, tout jaune, arriva à tombeau ouvert.

Libby Gardner

Élève de sixième

Sur le point de monter dans le bus, mal à l'aise dans sa jupe en jean neuve

8 h 02

Je vais vous dire pourquoi j'ai adopté l'approche « On est amis, mais pas *amis amis* ». Je ne suis pas sûre de savoir ce que ça veut dire, mais ça a quelque chose d'officiel. Trevor comprendra peut-être et se montrera, disons, compréhensif. Je vous explique : Lana, ma cousine, m'a assuré qu'AUCUN garçon ne m'inviterait à la soirée s'il avait peur que Trevor nous colle aux basques comme si c'était mon petit frère. Vous vous rendez compte ? C'est grave.

Je ne suis pas du genre à porter des jupes. J'aime me sentir à l'aise. Les jupes, c'est la galère et ça ne tient pas chaud du tout. Mais si je veux trouver un partenaire – un vrai, pas comme l'année dernière quand Trevor… Ô mon Dieu ! je ne veux même pas en parler ! Je lui avais pourtant envoyé un mail pour lui dire que c'était décontracté. Surtout, PAS de cravates.

J'ai dû raconter à tout le monde que sa Mammy était morte subitement d'une infection pulmonaire et qu'il revenait de l'enterrement. Tout le monde l'a plaint et certains sont même allés lui chercher des amuse-gueules !

Alors, bon, d'accord, je veux bien mettre une jupe. Juste aujourd'hui. Une journée, c'est pas le bout du monde.

C'est vrai que Trevor a tendance à me suivre à la trace comme si on était frère et sœur. Ça se comprend, en même temps… C'est presque un parent. Mais… comment je vais faire pour avoir un rancard s'il est toujours collé à moi ? J'étais forcée de changer la donne. Et s'il me poursuit comme ça jusqu'à la fin de mes jours ? Vous imaginez s'il se pointe à ma soirée de fin d'études ? À mon mariage ? À la naissance de ma première fille géniale et future présidente des États-Unis ? Qu'il soit là, en arrière-plan, à jouer à des jeux vidéo et à gribouiller ?

Vous me trouvez méchante ? Okay, mais s'il vous plaît, ne rajoutez pas de musique flippante pour faire de moi la vilaine de votre film.

C'est loin d'être le cas, je vous assure. Lana dit juste qu'il est temps de couper le cordon… C'est pour ça que j'ai décidé qu'on serait juste amis. Pas amis *amis*. Sérieux, je ne sais pas trop ce que ça signifie, mais il n'y avait pas d'autre solution.

D'accord, c'était nul d'envoyer promener Trevor le jour de la rentrée, mais si j'en crois ma cousine, je n'avais vraiment pas le choix. Elle m'a fait peur, Lana, en fait. Mais

Trevor saura se débrouiller. Il me remerciera même, si ça se trouve.

On est parfois obligé de faire des choix difficiles pour avoir ce qu'on veut dans la vie. C'est pour ça les rubans, les paillettes et la petite jupe.

Elle virevolte en susurrant :

– Quand même… ce jean est kiffant ! Pas du tout pratique, mais méga kiffant !

CHAPITRE TROIS

QUAND LE BUS ARRIVA, TREVOR REMARQUA UN élève qui habitait dans la rue voisine. Marty. Un cinquième, grand, costaud, avec un sac à dos rempli à ras bord. Il portait un pantalon de camouflage et de vieilles godasses aux lacets défaits, et il avait la boule à zéro.

Trevor s'approcha de lui à pas feutrés, comme un chat, pour ne pas l'effrayer. Le crâne rasé devait être un signe de confiance en soi. Ou d'agressivité. Il voulait juste lui demander où les sixièmes étaient censés s'asseoir dans le bus pour éviter d'être chambrés. Il connaissait Marty. Chez les scouts, il l'avait vu manier sans se blesser des outils tranchants. C'est même lui qui lui avait appris à dépecer un canard. Trevor se disait qu'il avait trouvé là un moyen super facile de se faire un allié.

– Hé, Marty !

– Ça roule, Trevor ?

Marty lui adressa un vague signe de tête puis il enfonça ses mains dans les poches de son pantalon de camouflage – il en possédait sept exemplaires pour être toujours prêt à affronter les situations les plus périlleuses. Marty était un expert de la survie ; le dépeçage du canard faisant partie de ses multiples aptitudes.

Même s'il n'était pas très causant – surtout tôt le matin –, il se faisait un devoir de transmettre aux sixièmes son expérience. Qui se résumait, en gros, à ceci : rester à l'écart des cinquièmes.

En deuxième année de collège, il ne se préoccupait plus de s'asseoir au bon endroit, d'érafler ses chaussures comme il faut ou de localiser les toilettes sans se tromper. Désormais, son seul et unique souci était de savoir si la pizza de la cantine serait au fromage ou à la saucisse. La pizza sans viande ne présentait aucun intérêt à ses yeux. C'est la raison pour laquelle il avait toujours sur lui un pochon en plastique contenant des bâtonnets de viande fumée. Au cas où.

– Tu connais le règlement du bus ? lui demanda Trevor en se balançant d'une jambe sur l'autre. Où est-ce que je dois me mettre ? Y a des places réservées ? Je ferais peut-être mieux de ne pas discuter avec le chauffeur, comme l'année dernière, hein ? C'est pas cool de parler avec les profs et les chauffeurs de bus, qu'est-ce que tu en penses ? Et si...

Marty se racla la gorge, ce qui ne servit pas à grand-chose vu qu'il avait une voix un peu rauque.

– Juste un truc : reste cool.

– Bon d'accord, fit Trevor en hochant la tête. Alors faut être sympa, mais pas trop ? Discuter mais sans plus...

– Reste cool, c'est tout.

Marty frotta une tache de sauce qu'il venait de repérer sur son sweat-shirt.

– Et assieds-toi où tu peux.

– Super. Je vais me mettre à côté de toi, répondit Trevor, nettement plus fort qu'il l'aurait souhaité.

Marty jeta des coups d'œil inquiets autour de lui pour voir si quelqu'un les écoutait.

– Impossible. Je suis un cinquième, au cas où tu l'aurais oublié.

Il abattit sa main sur l'épaule de Trevor et ajouta cette sentence irrévocable :

– Tu ne dois jamais, jamais t'asseoir avec les cinquièmes. Ni les regarder.

Trevor comprit que ce n'était pas la peine d'insister. S'il ne pouvait même pas regarder Marty, comment devenir copain avec lui ?

Abandon du plan.

Après l'avoir remercié, il eut vaguement l'idée de lui montrer sa carte fétiche – pour le plaisir –, mais décida que ça n'entrait pas dans la catégorie « Reste cool ».

Quand le bus s'immobilisa, tout le monde monta en file indienne sans dire un mot. Trevor découvrit alors beaucoup de visages inconnus. Des élèves plus grands, plus vieux, avec des voix plus graves. Le bus était bondé et ça ne lui disait rien qui vaille.

Les mains cramponnées au volant, le chauffeur regardait droit devant lui. Il avait l'air de faire la tronche – peut-être parce qu'il avait oublié de prendre son café. Ou parce qu'il détestait les enfants.

– Bonjour, lança Trevor à l'adresse de la moitié de sa figure.

Pas de réponse. Le genre taciturne. Super !

Alors que Libby avançait entre les rangées de sièges, Trevor constata une chose qu'il n'avait jamais remarquée avant : les garçons, même les plus vieux, la regardaient !

Une foule de questions l'assaillit : Était-ce la jupe ? Le jean ? Avait-elle une horrible tache de moutarde sur sa veste ?

Soudain, il eut envie de crier : *Arrêtez de la regarder comme ça ! Vous ne savez donc pas qu'elle a atteint le niveau*

27 dans Star Invaders *? Qu'elle connaît le nom de tous les présidents par ordre alphabétique, de naissance et de taille ? Qu'elle est ma meilleure amie depuis que je suis né ? Vous ne la connaissez même pas !*

Il ne comprenait pas très bien pourquoi ça le mettait en pétard qu'elle envisage de se faire d'autres copains, mais c'était comme ça. La vie lui semblait injuste. Qu'avait-il fait de mal ? Au moment où il s'apprêtait à prendre le siège vide derrière Libby, un type y posa son pied pour l'en empêcher.

– Ouille !

Trevor se redressa d'un bond et regarda derrière lui en se demandant sur quoi il s'était assis. La réalité le frappa de plein fouet. Ce n'était pas n'importe quel pied. Il était nettement plus grand que les siens… Ce qui signifiait qu'il appartenait à un cinquième !

Son cœur s'emballa. Il avait les mains moites.

Il leva les yeux vers Libby pour voir ce qu'elle lui conseillait de faire, mais elle regardait obstinément devant elle. Pas même un pouce brandi pour l'encourager. Rien.

Elle avait vraiment décidé de ne plus être amie amie avec lui, c'était clair. Plus question qu'elle vienne à sa rescousse.

Heureusement, le chauffeur avait vu ce qui s'était passé.

– Okay, petit futé, ôte tes pieds de là et laisse la place à ce gosse ! brailla-t-il, fixant le cinquième dans son rétroviseur.

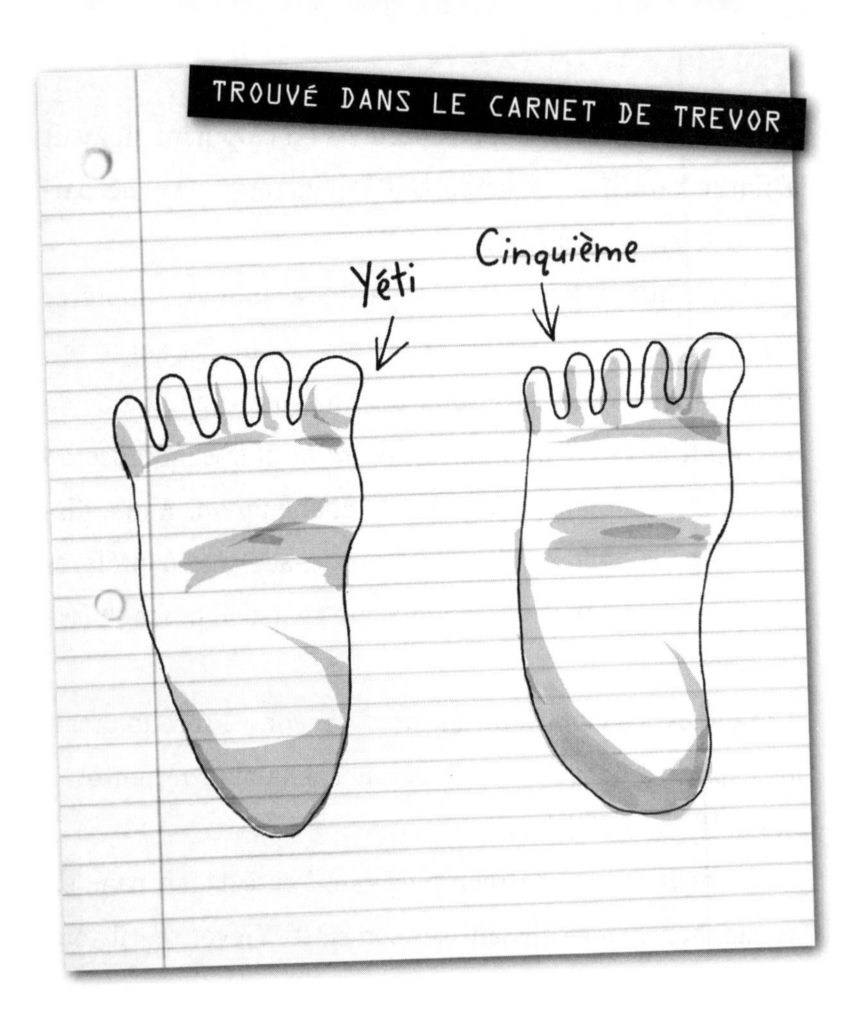

– Oh non ! Pitié ! marmonna Trevor.

Marty lui avait expliqué qu'il ne devait même pas poser les yeux sur un cinquième, et lui s'était carrément assis sur l'un d'eux ! Il espéra une soudaine catastrophe naturelle. Un ouragan, ou l'apparition d'un loup-garou. Il n'eut pas cette chance.

– Et pourquoi je devrais faire ça, papy ! rétorqua le cinquième.

Le chauffeur se leva et s'approcha en clopinant. Il avait la figure ratatinée et empestait la cigarette. Penché par-dessus le siège, il siffla :

– Parce que si tu n'obéis pas, petite racaille, tu t'apprêtes à faire le plus long trajet en bus de ta vie. Tu auras tellement envie d'aller aux toilettes que tu me supplieras de m'arrêter. Et là, je prendrai la route la plus cahoteuse de la ville et j'appuierai à fond sur le champignon. Alors, dis-moi, tu veux qu'on aille faire une balade ou tu préfères retirer tes sales pieds de là pour que ce gentil gosse puisse s'asseoir ?

Craignos, ce chauffeur. Même si Trevor lui reconnaissait des capacités d'invention. Il s'était même montré plutôt... serviable, en définitive.

Le cinquième alla s'asseoir plus loin, à côté d'un copain, en marmonnant. En se glissant sur son siège, Trevor sentit tous les regards lui pénétrer la tête comme des rayons laser.

Il se pencha pour chuchoter à l'oreille de Libby :

– Génial ! Comment je vais arriver à me trouver un nouveau pote si je me fais estropier d'office ?

Trop occupée à bavasser avec sa voisine, Libby ne répondit pas. Elle s'était juré de s'insérer socialement. Les conversations du bus étaient pleines de potentiel et elle comptait bien en tirer parti.

Manifestement, Trevor allait être forcé de se débrouiller seul à partir de maintenant. L'angoisse !

Il glissa une main dans son sac et effleura sa carte fétiche.

Au même moment, il se rendit compte qu'il lui arrivait la pire chose que puisse subir un sixième le jour de la rentrée : il avait un besoin urgent d'aller aux toilettes.

La chance l'avait bel et bien abandonné. Sa carte fétiche avait perdu son pouvoir.

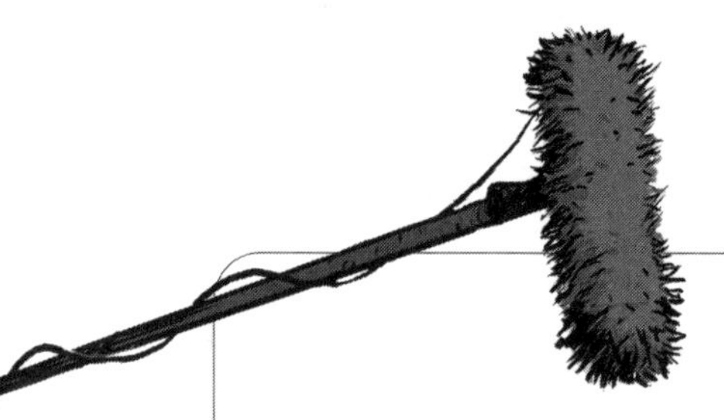

Trevor Jones

Attendant de descendre du bus en se dandinant

8 h 10

J'avoue avoir été un peu choqué que Libby n'ait pas levé le petit doigt pour me défendre. Je pensais qu'elle allait expliquer à tout le monde que j'étais un étudiant étranger, quelque chose comme ça. Ça aurait pu le faire. Je suis capable d'imiter un accent.

Elle regardait peut-être ailleurs. Du coup, elle n'a pas vu ce qui s'est passé. C'est tout à fait possible, après tout.

Je ne peux pas croire qu'elle soit sérieuse. Nos mères sont des amies intimes ! On passe toutes nos vacances ensemble – même la journée nationale de l'Arbre. En me laissant tomber comme ça, elle trahit presque une loi.

Elle finira par le comprendre et les choses ren–treront dans l'ordre.

J'en suis presque SÛR, mais mieux vaut assurer mes arrières. Sinon, je m'adresserai à Marty, sauf qu'il empeste le bœuf séché. Enfin, je ne suis pas certain que ce soit du bœuf. Qu'est-ce que ça pourrait être d'autre ?

Son sac est bourré de fournitures scolaires. J'en conclus qu'il est prévoyant. Et ça, c'est bon signe.

Marty Nelson

Élève de cinquième

Crâne rasé, grands pieds. Au dernier rang du bus, sur la banquette défoncée

8 h 14

Voyons, j'ai la dernière édition de *la Chasse aux canards*, de *la Revue des scouts* et de *Chasseur extrême,* mais où ai-je fourré le nouveau numéro de *Chasse et Pêche ?*

(Il lève le nez de son sac, perplexe.)

Vous voulez savoir si je suis prêt pour la rentrée ? Pas qu'un peu ! Enfin, ce n'est pas comme si j'avais des feuilles, des stylos et des fournitures scolaires dans mon sac. Mais j'ai tout l'équipement nécessaire en cas de coup dur. Si on subissait l'assaut d'un essaim de guêpes tueuses, par exemple, *la Revue des scouts* me dira précisément quelles mesures prendre.

Je ne me fais pas de souci pour le collège. Je suis déjà passé par là. Et je veux bien donner des conseils à Trevor s'il en a besoin. Parce que, franchement, cette histoire de pieds sur le siège… Pas cool ! On dirait qu'il n'a pas écouté un mot de ce que je lui ai dit. S'il suit mes conseils à la lettre, il n'aura pas de problème. Regardez-moi. Je suis le portrait craché de la réussite. Un cinquième ! Les mecs comme moi sont NÉS pour être en cinquième.

— Yo !

(Il balance un coup de poing dans le bras du sixième devant lui et lui arrache son sac.)

— C'est pas toi qui m'aurais pris mon *Chasse et Pêche ?*

CHAPITRE QUATRE

À LA DESCENTE DU BUS, TREVOR SUIVIT LIBBY DE PRÈS. Ils s'engouffrèrent parmi un océan de visages inconnus, jusqu'au moment où une fille accourut vers eux en sautillant. Cindy Applegate, commère officielle des CM2 l'année dernière. Un rôle qu'elle avait l'intention d'endosser à nouveau cette année – avec petits sauts en prime.

Cindy était toute petite, à peine plus haute que la poignée de son casier, mais elle compensait par une aptitude à faire des bonds qui la faisait paraître plus grande. Elle espérait qu'un jour, les livres rangés sur l'étagère supérieure de son casier seraient au niveau de ses yeux. Pour le moment, elle devait compter sur sa souplesse.

Trevor était persuadé qu'elle deviendrait la présentatrice de *Nouveau look pour une nouvelle vie* ou de *la Ferme Célébrités*. Ou alors secrétaire de l'école.

En réalité, elle rêvait d'être déléguée de sa classe. Comme ça, quand elle s'adresserait à ses camarades, elle grimperait sur une estrade, ce qui lui permettrait de gagner bien 40 centimètres.

– Devinez quoi ! s'exclama-t-elle en bondissant.

Elle enchaîna sans reprendre son souffle :

– On est dans la même classe ! C'est pas génial ? Avec M. Everett, en plus. Il paraît que c'est le meilleur. Un peu zarbi, quand même. Il a des oreilles d'éléphant. Et il boit du thé. On se met ensemble, d'accord ?

Cindy savait toujours tout sur tout, plus les détails. Une vraie pro, question ragots.

Libby et Cindy étaient des amies « politiques ». Elles se souriaient sans montrer les dents. Polies, mais pas aimables. Chaque année depuis le CE2, elles se présentaient toutes les deux aux élections de délégués. Si ça avait existé en maternelle, elles auraient été candidates aussi.

En CE2, Cindy avait été élue, en CM1, Libby, et de nouveau Cindy l'année suivante. Libby estimait qu'en toute logique, elle devrait l'emporter cette année.

Sauf que Cindy ne croyait pas à la constance, seulement au

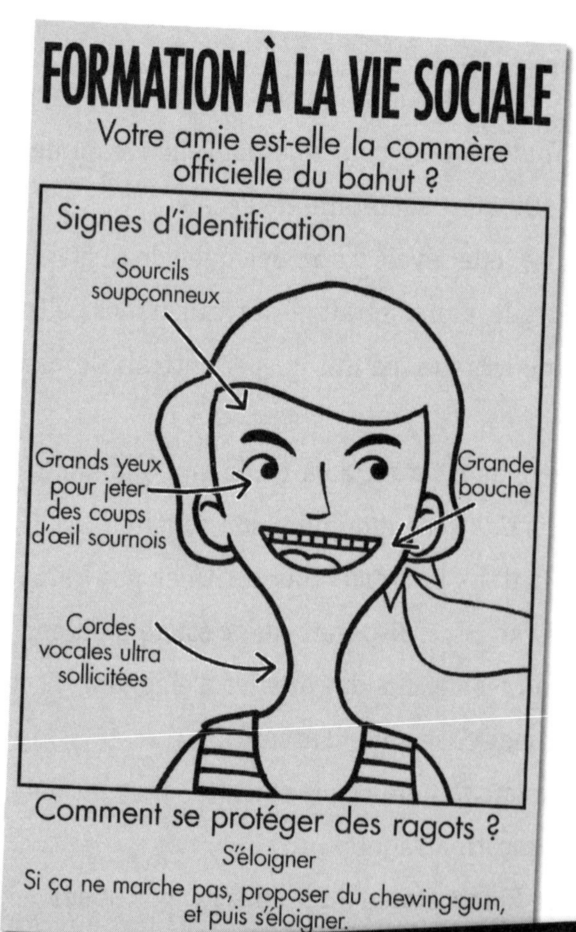

TRACT RÉCUPÉRÉ EN PRIMAIRE PAR TREVOR

pouvoir magique d'une estrade qui lui ferait gagner près d'un quart de sa taille. Comme elle n'avait pas grandi de 15 centimètres pendant l'été, comme elle en avait eu l'intention (elle n'avait pris que 0,3 cm, mais les mauvaises langues disaient que c'était grâce à ses tongs), elle savait que le seul moyen de prendre de la hauteur consistait à battre Libby.

Trevor haussa les épaules et Libby grimaça un sourire avant de disparaître dans le couloir, sans indiquer à Trevor la direction de leur classe. Et sans lui donner l'occasion de lui avouer qu'il avait besoin d'aller aux toilettes. Elle le planta carrément là, avec Cindy. Il n'avait mis les pieds qu'une seule fois dans ce collège, à l'occasion de la journée portes ouvertes. Il était incapable de se retrouver dans ce dédale de couloirs.

Comment Libby avait-elle pu l'abandonner en compagnie de cette commère ? Il était sûr qu'il allait laisser échapper une information vitale que Cindy n'aurait aucun mal à utiliser contre lui. Pourquoi Libby ne le protégeait-elle pas du cataclysme qui n'allait pas tarder à lui tomber sur la tête ?

– Alors ?

Cindy fit claquer son chewing-gum trois fois avant d'ajouter :

– Qu'est-ce qui lui arrive, à Libby ? Elle n'est pas comme d'habitude. Tu ne trouves pas ?

Évidemment qu'elle est bizarre, avait-il envie de répondre. Il fut à deux doigts de lui raconter en détail la décision que Libby avait prise, mais il se reprit juste à temps.

– Attends une seconde, s'exclama-t-il avant de s'élancer dans le sillage de son amie.

Quand il lui tapa sur l'épaule, elle se retourna en arquant un sourcil exceptionnellement haut, l'air de dire : *On se voit plus tard, Trevor.*

– On ne pourrait pas entrer en classe ensemble ? répondirent ses propres sourcils.

Libby leva les siens encore plus haut et ajouta un plissement de front. *Non !*

Elle pivota sur ses talons et s'éloigna. Cindy rejoignit Trevor à cet instant en mâchant bruyamment son chewing-gum.

– Sérieux. Qu'est-ce qui se passe ? Je croyais que vous étiez comme des frères siamois.

Sachant pertinemment qu'il y avait là matière à alimenter les pires ragots, il décida de changer rapidement de sujet. Il se pencha vers Cindy et lui fit part de son… « problème ».

– Oh là là ! Trevor ! Personne ne t'a expliqué qu'il était impossible d'arriver en classe à l'heure si on doit aller aux toilettes avant ? brailla-t-elle.

Tous les regards se braquèrent vers eux.

– Ne parle pas si fort, chuchota-t-il. On n'a même pas droit à un petit rab de temps pour faire euh… enfin, ce qu'on a besoin de faire ?

Cindy baissa la voix :

– Je t'explique. Tout le monde sait que l'alarme signalant un retard est déclenchée par un détecteur qui vibre chaque fois que quelqu'un se rue dans les toilettes dans l'espoir d'arriver en classe à temps. Si tu tiens à rester discret, eh bien… tu n'y vas pas, c'est tout.

– Mais…

– Les sixièmes doivent se retenir. Tout le monde sait ça.

Elle leva les yeux au ciel et fit claquer une énorme boule rose qui s'écrasa sur sa bouche. Elle la décolla et la jeta à la poubelle.

– Ciao, Trevor. À tout à l'heure en classe.

Il esquissa un pas de danse qu'on aurait pu interpréter de deux manières : 1. Je meurs d'envie d'aller aux toilettes et je n'arriverais jamais à me retenir. 2. Je suis content que Cindy soit dans la même classe que moi.

Il aurait bien aimé que la deuxième option soit la bonne.

Cindy, elle, savait exactement ce qu'il fallait en conclure.

Cindy Applegate

Élève de sixième et commère officielle

Dans le couloir, devant la classe de M. Everett

En train de mâcher du chewing-gum

8 h 29

Le chewing-gum Hubba Bubba fraise-pastèque est de loin le meilleur, question parfum et durée. Par contre, l'Island Punch est dégueu. Je ne vous conseille même pas d'essayer.

Il est mignon, ce Trevor, enfin, je trouve. Je sens qu'il va m'inviter à la soirée. Il n'arrête pas de me poser des questions. Et puis ce petit pas de danse ? C'était comme un lien entre nous. Il s'intéresse à moi, c'est clair. Tout de même, ce prix d'Exactitude qu'il a décroché l'année dernière, ça fait un peu froid dans le dos. En attendant j'aime bien ses chaussures.

Samantha m'a dit que Libby et Trevor se sont chamaillés ce matin et qu'ils se font la tête. Chaque année, le jour de la rentrée, c'est pareil, sauf que cette fois-ci j'ai l'impression que c'est du sérieux.

Le chewing-gum Hubba Bubba à la cerise aigre-doux n'est pas mauvais non plus. Si j'étais coincée sur une île sans rien à manger, pas même de la salade avec de la vinaigrette allégée, je m'en contenterais. Mais fraise-pastèque, c'est quand même un cran en dessus.

Ne me lancez pas sur le sujet du chewing-gum en ruban.

CHAPITRE CINQ

TREVOR ENFILA LES COULOIRS AU PAS DE COURSE À la recherche des toilettes des garçons. Sans succès. Il vérifia les numéros de portes, chercha des indices, secoua des poignées. Allait-il les trouver à temps ?

Il dut contourner plusieurs bandes qui marchaient en rangs serrés, impénétrables. D'autres se bousculaient en se donnant des coups de coude. C'était un peu la pagaille. Il comprit que si un grand nombre de ses camarades avaient perdu le sens de l'orientation, c'est parce qu'ils avaient les yeux rivés sur leur emploi du temps. Certains, pourtant, marchaient la tête haute, les mains dans les poches. Ils avaient l'air de savoir exactement où ils allaient. Des cinquièmes, à tous les coups !

Trevor finit par se demander s'il n'allait pas s'égarer pour de bon et envisagea la solution désespérée. Sortir le plan de l'école ? Non ! *Trop* désespéré !

Au bout du compte, il se replia sur l'autre option de dernier recours, légèrement moins désespérée : demander à quelqu'un.

Et voilà que sa solution de dernier recours se matérialisa devant lui sous la forme de Corey Long. Un cinquième. Et un enfoiré ! Il était avachi près d'un casier, parfaitement à l'aise dans ses baskets, genre maître du monde. Il tapotait sa longue mèche de devant pour s'assurer qu'elle lui tombait bien au-dessus des yeux mais pas directement dedans. Distinction subtile.

Ils avaient fréquenté la même école primaire, mais Trevor avait toujours évité de lui adresser la parole parce qu'il avait une réputation exécrable. Réputation qu'il devait au fait qu'il harcelait, chahutait et frappait ses camarades, surtout les plus petits. Par contre, dès qu'une fille ou un prof apparaissait, il se changeait subitement en M. Parfait/Serviable/Je fais rien de mal.

Trevor avait entendu dire qu'un jour, il avait renversé du soda dans le couloir et qu'un gosse avait glissé dessus. Tout le monde s'était bidonné en voyant le malheureux étalé de tout son long. Quand un enseignant avait surgi, Corey avait prétendu que ce liquide provenait du projet scientifique de Georgie Johnson. Il avait aidé le gamin à se relever et tout nettoyé avec zèle, comme si son seul but avait été de sauver la vie d'élèves sans défense. Cela lui avait valu une espèce de certificat de courage. Les filles et les profs ignoraient qu'ils avaient affaire à un scélérat de première qui maîtrisait à la perfection le sourire diabolique du faux innocent. Trevor était sûr que s'il y avait eu un concours de crétins extrêmes aux jeux Olympiques, Corey aurait remporté l'or, plus quelques contrats avec des marques de vêtements sportifs.

Corey le regarda approcher en se demandant ce qui le prenait de venir lui parler. Trevor avait l'air d'avoir une question à lui poser – à propos des toilettes probablement, vu les mouvements bizarres qu'il faisait avec les jambes.

Corey estimait qu'il était né cool. Ça n'avait rien de snob. Certaines personnes naissent avec un front haut, de longs orteils, un sens du rythme, mais lui il était né cool. Et même si les avis divergeaient à son sujet, le fait est que toutes les filles étaient amoureuses de lui. Et que tous les mecs de petite taille le craignaient.

C'est d'ailleurs la raison pour laquelle Trevor, qui n'était pas ce qu'on pourrait appeler grand, n'en revenait pas d'être sur le point de lui demander la direction des toilettes. Mais au stade où il en était, il n'avait plus d'autre solution.

– Hé, mec.

Trevor se dit qu'en ajoutant « mec » à son vocabulaire, il prouverait qu'il était un nouveau Trevor, plus relax. Pas le prix d'Exactitude. Ni le détenteur d'une carte fétiche. Ni Trevor le gribouilleur.

– T'aurais une idée de l'endroit où se trouvent les toilettes ?

Corey grimaça un sourire.

– Première à gauche et deuxième à droite. Non, troisième. Oui, c'est ça. Bonne chance, vieux.

Trevor se sentait déjà mieux. Corey lui avait souri. Un vrai sourire, pas un rictus diabolique. On lui avait peut-être retiré sa médaille d'or sous prétexte qu'il était devenu à peu près humain !

Il suivit à la lettre les consignes de Corey. Heureusement qu'il ne lui avait pas indiqué le deuxième couloir à droite qui menait à la salle des profs. Trevor prit donc le troisième à droite et s'engouffra dans les toilettes, où un autre élève venait d'entrer. Un élève avec... une barbe !

Bizarre... La puberté ne l'avait pas raté, celui-là !

Jusqu'au moment où Trevor comprit que ce n'était pas un collégien... mais un prof.

Corey l'avait envoyé dans les W-C des enseignants !

Trevor remonta sa fermeture Éclair à la hâte et ressortit dans le couloir aussi vite qu'il le put. C'est alors que son pied entra en collision avec un autre, nettement plus grand, style yéti.

Un pied de cinquième.

Il se retrouva les quatre fers en l'air et entendit la foule rassemblée pour assister à ce moment d'humiliation historique partir d'un éclat de rire. Corey se marrait tellement qu'il faillit s'étouffer.

Où était passée Libby ? Comment pouvait-elle abandonner Trevor alors que la situation exigeait une intervention d'urgence ? Pourquoi ne venait-elle pas à sa rescousse telle la super-héroïne-amie-depuis-toujours qu'elle était, sa cape volant au vent ?

Trevor resta vautré dans le couloir sans personne pour le défendre. Muet de honte.

C'est alors que Cindy Applegate débarqua à petits bonds et resta bouche bée. Trevor fut soulagé de voir que quelqu'un était de son côté. Même si c'était elle !

Comme d'habitude, hélas ! Corey prit rapidement le contrôle de la situation.

– Tu es super jolie, Cindy. Ton sac a l'air sacrément lourd. T'as besoin d'un coup de main ?

Elle rougit en battant des paupières.

– Ce serait sympa, Corey.

Il flanqua un coup sur la nuque d'un de ses copains.

– Tornade, sois galant, mon pote. Porte-lui son sac.

Tornade, qui entre ses clignements d'yeux et ses cheveux en

pétard portait bien son surnom, s'empressa de ramasser le sac de Cindy. Puis, tête baissée, il l'escorta en classe.

Cindy se retourna et agita la main avec grâce.

– Euh, merci, Corey.

Elle avait complètement oublié que Trevor était resté étalé par terre.

Dès qu'elle eut disparu, Corey s'accroupit à côté de lui.

– T'aurais dû te servir de ton plan, mon pote.

Il rectifia encore une fois sa mèche avant de s'éloigner en se pavanant comme s'il s'apprêtait à monter sur le podium pour recevoir une nouvelle médaille olympique.

Trevor sentit la moutarde lui monter au nez. Il en voulait plus à Libby qu'à Corey, en fait. C'était de sa faute. Elle savait que les situations gênantes et lui s'attiraient comme des aimants. Si elle ne l'avait pas laissé en plan, il n'aurait pas été obligé de demander son chemin à Corey. Il songea à aller la trouver (une fois qu'il se serait relevé, évidemment) pour l'envoyer promener. Il hausserait peut-être même la voix.

Mais il se ravisa, sachant qu'elle connaissait sa grande faiblesse : sa mère. Elles se parlaient souvent au téléphone, et Libby lui racontait tout. Impossible de faire preuve d'agressivité envers elle. Sa mère lui faisait régulièrement des sermons sur la nécessité de respecter les filles. S'il lui faisait de la peine, il pouvait être sûr de manger des céréales sans lait pendant des semaines. Et plus de Zingers.

Il se couvrit le visage des deux mains, au bord du désespoir.

Après ce bref instant d'apitoiement sur lui-même, il se dressa et poursuivit son chemin en traînant les pieds. Au moment où il arrivait devant la classe, la seconde sonnerie destinée aux retardataires se fit entendre.

Cindy Applegate avait raison. Les passages même rapides aux toilettes et les cloches des retardataires, c'était comme les sixièmes et les cinquièmes… Ça clashait.

Corey Long

Un cinquième/Super à l'aise dans ses baskets

Adossé à un casier, en train de vérifier une fois de plus l'angle de sa mèche

Non, je n'ai pas honte. C'est la tradition, mon pote. Il m'est arrivé la même chose l'année dernière. Sauf qu'on m'avait indiqué les toilettes des filles. Mais au lieu de ressortir comme une furie, j'ai discuté avec elles ; elles m'ont trouvé cool, en fait. J'ai vécu ça bien, ce qui ne va pas m'empêcher de perpétuer la tradition.

J'ai failli laisser tomber, d'ailleurs. Je n'arrivais pas à trouver un guignol pour mordre à l'hameçon. Jusqu'à ce que ce mec s'approche de moi et m'apporte la solution sur un plateau d'argent. « Où sont les toilettes ? » Je rêvais ou quoi ? PERSONNE ne pose cette question le jour de la rentrée. Il a sacrément besoin de conseils, celui-là.

J'ai joué mon rôle en faisant cette farce. C'est la tradition. Le cercle de la vie. Comme dans ce film, *le Roi lion.*

Je suis le papa lion. Non, il meurt. Je suis Scar. Non, non, pas lui… Je suis l'oiseau. Tout le monde l'aime bien. Il est drôle.

(Il redresse son col, respirant l'assurance d'un roi sur son trône.)

Oui, c'est ça, je suis l'oiseau.

CHAPITRE SIX

TREVOR SE PRÉCIPITA DANS LA CLASSE, REDOUTANT que son nom ne soit consigné dans le registre des retardataires. Occupé à dérouler une carte murale, le prof ne lui prêta pas la moindre attention. Ouf ! Trevor remarqua que ses camarades étaient déjà en train de plancher sur une fiche. Il parcourut rapidement la pièce des yeux pour trouver une place. Pouvait-il se mettre où il voulait ? Les noms étaient-ils inscrits sur les tables ?

Non. Rien qu'un schéma incompréhensible au tableau.

– Tu as besoin d'aide ?

Trevor fit volte-face. C'est le prof, M. Everett. Cindy avait vu juste : grandes oreilles et tasse de thé.

– Euh…

Trevor se demanda si ce serait cool d'accepter ou s'il valait mieux refuser.

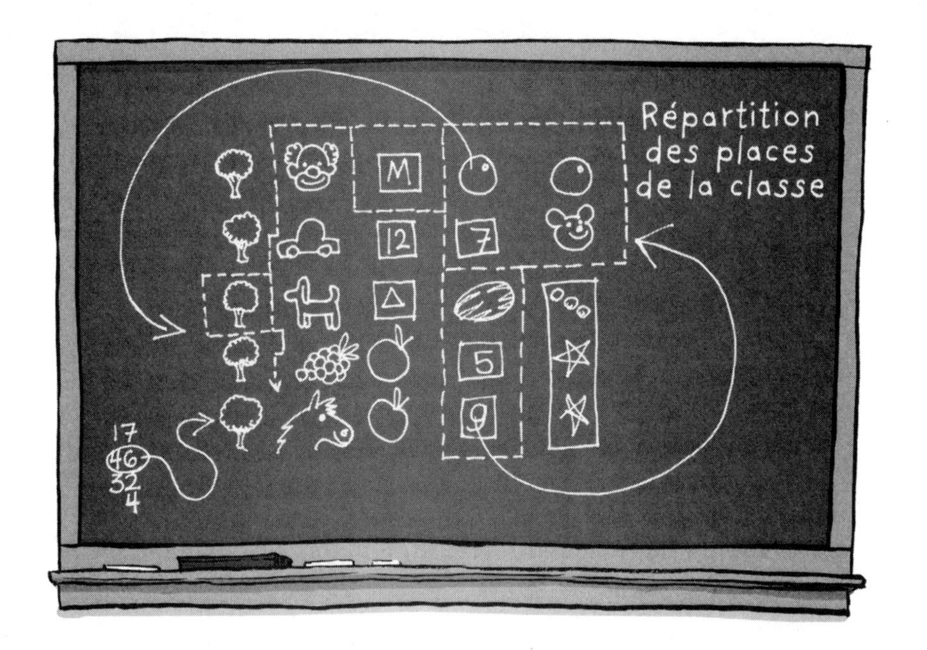

M. Everett, affublé d'une chemise en soie ornée de palmiers ondulants, but une gorgée dans sa tasse fumante sur laquelle on pouvait lire : PAUSE POUR UN INSTANT DE SCIENCES. D'une intelligence fulgurante, il avait trois masters qu'il gardait bien au chaud dans un tiroir de son bureau. Après avoir étudié de nombreuses méthodes d'enseignement, il en était finalement arrivé à la conclusion que les Skittles étaient le meilleur moyen de motiver ses élèves. Il en avait toujours une cargaison en évidence sur sa table.

– Tu es Trevor, c'est ça ? dit-il en engloutissant deux bonbons verts.

– Oui.

Trevor était content de connaître la réponse à la première question qu'on lui posait au collège. C'était un bon début. Avec les profs, en tout cas.

– Ce n'est pas très compliqué, lui expliqua M. Everett en montrant le tableau. Trevor commence par un T, comme Tomate. Suis la ligne rouge du diagramme jusqu'au numéro 6, puisque c'est le nombre de lettres que comporte ton nom. Cela signifie que ta place est dans la zone T-6, qui se trouve…

Il fouilla la pièce du regard, cherchant les quelques chaises encore libres.

– Euh, où est-ce que je l'ai mise déjà, cette fichue zone ? Bon, laisse tomber. Assieds-toi à côté de Molly.

M. Everett lui tendit une fiche intitulée « Apprenez à me connaître ! » où étaient consignées des questions du genre : Quelles sont vos couleurs et lectures préférées ? Vous faut-il une place au premier rang à cause de problèmes de vue ou d'une tendance à chahuter ? Etc.

Trevor s'installa à une place libre et glissa un coup d'œil vers sa voisine. Molly. Elle portait une jupe et une veste en jean déchirée, des collants arc-en-ciel délavés, troués aux genoux, et de grosses bottes noires éraflées. Des mèches bleu vif rehaussaient ses cheveux noirs.

Euh… pensa Trevor, qui ne savait vraiment pas quoi penser.

Il aperçut Libby, assise bien droite au premier rang. Et, à sa gauche, Cindy Applegate. Pourvu qu'elle ne soit pas au courant qu'il s'était vautré dans le couloir. Elle n'était pas rapide à ce point-là, si ?

Il avala péniblement sa salive et posa son sac par terre sans faire de bruit dans l'espoir de passer inaperçu.

– C'est une carte de base-ball, ça ?

Molly le dévisageait en pointant le doigt sur la poche avant de son sac, restée ouverte.

– Ça ? Non, c'est une cochonnerie que j'ai ramassée. Euh... enfin, ne crois pas que je passe mon temps à récupérer des ordures, mais...

Molly se pencha un peu plus.

– Mais c'est une Johnny Bench 1973 !

Il remarqua le petit sourire qui étirait ses lèvres et le trait d'eye-liner épais qui soulignait ses yeux bleus comme la mer. S'arrachant à sa contemplation, il finit par répondre à voix basse :

– Ouais. Comment tu le sais ?

– C'est marqué dessus. Johnny Bench 1973, répliqua-t-elle en articulant bien.

– Tu as raison.

Il sortit la carte et la retourna dans sa main moite, cherchant un moyen d'entretenir la conversation. Ce n'était pas la peine, car Molly continua à parler en tripotant son taille-crayon :

– Moi aussi, je collectionne des trucs. Des vieux trucs. N'importe quoi. Ma chambre en est remplie, pour que personne d'autre que moi ne puisse ouvrir la porte.

Celle de Trevor était parfaitement en ordre. Chaque objet à sa place. Il n'avait jamais de problème pour y entrer, et ne comprenait vraiment pas ce que Molly pouvait trouver de sympa là-dedans. En attendant, une seule chose comptait : il venait de rencontrer une fille qui collectionnait les cartes de base-ball rares et qui avait des yeux d'un bleu incroyable.

– Je m'appelle Trevor.

– Molly.

Elle tiraillа sur ses collants et les déchira un peu plus. Mais elle s'en fichait. Ce qui l'intéressait, c'était de savoir si Trevor lui avait adressé la parole parce qu'il voulait être copain avec elle.

Elle était nouvelle ici. L'année précédente, elle avait fréquenté trois écoles différentes et ne s'était fait aucun ami – ce qui la satisfaisait vu qu'elle n'avait jamais eu l'intention de s'en faire. Impossible d'entretenir les relations quand on bouge tout le temps. Alors que le bric-à-brac, ça se conserve à vie.

Tandis que les autres élèves finissaient de remplir leurs fiches, Trevor fit glisser discrètement sa carte fétiche vers sa voisine.

– Tu veux la voir ? chuchota-t-il.

Ses yeux bleus des mers du Sud s'illuminèrent.

– Super ! On fait un échange pour la journée ?

Elle plongea la main dans son sac en lambeaux, rafistolé avec des épingles à nourrice, et en sortit une minuscule boule magique numéro 8 qu'elle posa sur le bureau.

Trevor consultait souvent sa boule magique, mais Libby serait folle de rage si elle apprenait qu'il en avait une sur lui au collège ! Il l'enfouit à la hâte dans son sac.

– Merci.

Plongée dans la lecture des statistiques au verso de la carte, Molly ne répondit pas. La marque d'une vraie fan, se dit Trevor.

Il jeta un coup d'œil dans la direction de Libby pour être sûr qu'elle n'avait rien vu. Mais Non. Ouf !

C'est alors qu'il remarqua Nancy Polanski, trois rangs plus loin, les yeux rivés sur lui. Elle brandit le poing en désignant l'affiche pour le bal au mur.

Trevor avala sa salive de travers à l'idée de se prendre un nouveau coup dans l'estomac. L'affiche lui rappelait le délai que Libby lui avait fixé. Il n'avait aucune envie de se creuser la cervelle pour concocter la formule miracle qui lui permettrait de décrocher un rancard avant la fin de la journée.

– Il faut que tu demandes à une fille avant ce soir, lui glissa Molly, enfonçant le clou. Pourquoi tu crois qu'elles se sont faites belles ? ajouta-t-elle en désignant Libby et Cindy.

Trevor ne savait pas quoi répondre. Pour éviter de croiser le regard de Nancy, il se plongea dans l'étude de sa fiche. Garde les yeux baissés ! Ne les lève pas !

Mais Molly remarqua son manège et y vit une détermination à ne pas se faire d'amis. Du coup, elle se sentit vraiment à l'aise et continua à blablater à propos de la fête, du baseball, de ses chaussures...

Il ne releva pas la tête. Il redoutait de se faire attraper pour bavardage. Heureusement, M. Everett se débattait de

TROUVÉ AU DOS DE LA FICHE

« APPRENEZ À ME CONNAÎTRE » DE TREVOR

Pas sympa

Pas sympa non plus, mais moins grave

Super sympa !

nouveau avec sa carte murale. Ravi d'avoir une conversation aussi brillante avec une fille sans avoir à la regarder en face, Trevor aperçut tout de même, du coin de l'œil, le joli haussement d'épaules qui ponctuait toutes ses phrases. Il se rendit compte, tout à coup, que l'idée d'inviter une fille à la soirée ne lui déplaisait pas totalement.

Trevor Jones

Dans la classe,
en train de faire
semblant de tailler
son crayon

8 h 40

Libby ne va pas en revenir. Je vais le pulvériser, son délai ! Je suis sûr de dégoter un rancard avant ce soir.

Je ne voudrais pas mettre la charrue avant les bœufs, mais Molly est parfaite. Vous vous en êtes aperçus, vous aussi ? On la croirait faite d'arcs-en-ciel et de gâteaux… Déchiquetés, écrabouillés, mais tout de même… La journée est en train de tourner à mon avantage. Il fait chaud là-dedans, non ? Et j'ai été super cool tout du long. Pas stressé du tout. Elle m'a même souri, je crois bien.

Je suis prêt à parier que j'aurai une partenaire avant la fin des cours.

Aïe… Je viens de me fixer un défi à haute voix. Il va falloir que je m'y tienne.

Le mieux, c'est que je la joue cool, et Molly acceptera.

Quoique… Elle pourrait refuser.

Mais bon, au moins, elle me rendra ma carte. Ce sera déjà génial.

Oh, et cette histoire de se faire un nouveau copain ? Je maîtrise. J'ai le vent en poupe. Ça ne peut pas être si compliqué que ça ? Il suffit de prêter un stylo à quelqu'un et toc, on devient potes. Pas de problème.

Molly
(Nom de famille inconnu)

Nouvelle et mystérieuse

En classe, en train de chiper des punaises sur le panneau d'affichage

8 h 42

Les cours n'ont commencé que depuis vingt-cinq minutes, je sais, mais qu'est-ce qu'on s'embête ici. Des places imposées… Un prof qui boit du thé… Et ce Trevor… Il ne m'apprécie pas du tout, c'est clair. Tant mieux. Quand même… il m'a donné sa carte de base-ball.

Le seul truc intéressant dans ce collège, c'est tout ce qu'on peut y récolter.

(Elle ouvre son sac à dos et jette un coup d'œil à l'intérieur.)

J'ai déjà récupéré un Yoda à tête branlante, un distributeur de bonbons Pez, une poupée troll et cette carte Johnny Bench 1973 – plutôt une bonne carte, d'ailleurs. J'espère que quelqu'un, dans ce bahut, aura des fournitures Hola Kitty vintage. J'aimerais bien compléter ma collection.

Je change sans arrêt d'école. Mon père dit que j'ai un problème de « déficit de l'attention ».

J'appelle ça de l'ennui, moi ! Mais je suis sûre que du vintage Hola Kitty peut me guérir en un clin d'œil.

CHAPITRE SEPT

– C'EST L'HEURE DE RENDRE VOS FICHES, ANNONÇA M. Everett.

Trevor sentit son sang lui monter à la tête. Il avait dessiné sur le dos de la sienne sans la remplir. Ça ne lui ressemblait pas !

Il la couvrit des deux mains, déterminé à la rendre en retard après l'avoir complétée entre deux cours. Ce n'était pas l'idéal mais M. Everett devait être un type sympa, comme tous ses profs de l'année dernière.

M. Everett se racla la gorge et posa délicatement sa tasse fumante sur un dessous de verre.

– Écoutez-moi bien, les enfants. C'est votre premier jour en sixième, et comme on vous l'a probablement déjà signalé, les choses changent radicalement au collège. La discipline est plus stricte.

Trevor remarqua que la plupart de ses camarades hochaient la tête, comme s'ils connaissaient déjà sur le bout des doigts le déroulement des opérations. Comment était-ce possible ?

Il avait le sentiment de se lancer dans l'inconnu. Il s'était dit que Libby le tiendrait au courant de tout ce qu'il avait besoin de savoir, mais il n'avait pas imaginé qu'il allait devoir « s'insérer socialement ».

L'année dernière, Libby et lui se considéraient comme des intouchables vu qu'ils étaient en CM2. Les plus jeunes les admiraient et leur laissaient toujours les meilleures places dans le bus. Mais c'était à leur tour, maintenant, d'être les plus jeunes. Toutes ces années passées à grimper les échelons pour un brin de respect, et voilà qu'il fallait repartir de zéro. Les pires places dans le bus. Les toilettes introuvables. Les brimades de la part des cinquièmes. Trevor avait entendu parler du principal adjoint : une brute, paraît-il. Et c'était tant mieux. Au moins il ferait marcher les méchants à la baguette et tout irait bien.

M. Everett engloutit une poignée de Skittles rouges.

– ... et nous avons un nouveau principal adjoint cette année. Un homme très sympathique. Vous avez de la chance.

Mince !

– M. Decker – c'est son nom – a l'intention de procéder à un certain nombre de changements. Il tient à ce que les cinquièmes et les sixièmes passent davantage de temps ensemble. Partant du principe que si vous êtes plus proches, il y aura moins de tensions entre vous. Je ne suis pas persuadé que ça marchera. On verra bien.

Puis il désigna l'affiche.

– M. Decker a décidé que la soirée d'automne vous réunirait tous. Les cinquièmes et les sixièmes. Vous allez pouvoir vous amuser en chœur.

Trevor abattit sa tête sur son bureau.

Rouez-moi de coups tout de suite. Finissons-en.

Agenda

- faire l'appel
- annoncer la nouvelle
à propos de Decker

Notes :
Trevor Jones se tape beaucoup
la tête contre son bureau.
Pourvu qu'il ne se retrouve
pas avec une commotion cérébrale.
L'avoir à l'œil.

TROUVÉ DANS L'AGENDA DE M. EVERETT

À cet instant, l'interphone grésilla.

– Bonjour, chers élèves. Ici M. Decker, votre nouveau principal adjoint.

Trevor s'aperçut que Molly avait enfoui la tête dans ses bras et plaqué les mains sur ses oreilles. Elle devait être en train de reluquer la carte qu'il lui avait prêtée. Décidément, cette fille n'était pas loin de la perfection.

– J'ai un certain nombre d'annonces à vous faire. Primo, la pizza double fromage de la cantine a été remplacée par un cake à l'artichaut. Le fromage est mauvais pour votre capacité d'attention, alors que les légumes, c'est tout le contraire. Je vous en prie, ne me remerciez pas. Deuxio, je me vois dans l'obligation de vous rappeler que vous n'avez pas accès aux toilettes des enseignants.

Trevor se sentit virer au rouge écrevisse. Les cours avaient commencé depuis moins d'une demi-heure, et il s'était déjà débrouillé pour que Decker parle de lui ! Il vit Cindy chuchoter quelque chose à l'oreille de Libby. *Oh non ! Pourvu qu'elle ne soit pas en train de lui raconter son vol plané dans le couloir !* Heureusement, Molly ne prêtait pas la moindre attention à tout ça, vu qu'elle se couvrait toujours les oreilles.

– ... N'oubliez pas que la soirée de rentrée concerne aussi bien les cinquièmes que les sixièmes. Préparez-vous à vous faire de nouveaux amis. Je vous souhaite une bonne rentrée à tous. Allez Westside !

Le principal adjoint était en charge de la discipline, de la supervision des élections des délégués, des événements sportifs, des fêtes et de toute autre occasion où les élèves se réunissent. En dehors de ça, il avait pris sur lui d'améliorer le moral des élèves grâce à des habitudes alimentaires saines. Les élèves bourrés de légumes étaient plus sympas les uns avec les autres, telle était son idée. Il avait déjà lancé ce programme dans différents établissements, ce qui lui avait

valu de nombreuses mutations. Mais peu lui importait : il fondait de grands espoirs sur Westside en matière d'hygiène alimentaire.

Trevor laissa sa tête retomber sur sa table. Des légumes pour le déjeuner ? Se faire des copains parmi les cinquièmes ? Et puis quoi encore ?

Il se tourna vers Libby dans l'espoir qu'elle lui envoie un message-sourcils encourageant, mais elle était en train d'aider une fille à déchiffrer son plan. Elle passait son temps à faire ce genre de trucs – aider les autres, sans qu'on le lui demande. Trevor trouvait ça bien et pas bien à la fois.

Pas bien parce qu'un jour, elle l'avait forcé à intégrer une équipe de base-ball au lieu de se contenter de collectionner les cartes. Bien, parce qu'en l'espace de trois mois, il s'était élevé du rang de lanceur de septième classe à celui de lanceur de sixième classe. Certes, il avait été relégué au septième dès que Bruce Parker s'était remis de sa fracture au bras, mais quand même... Libby était plutôt bonne conseillère, et, au fond de lui, Trevor était prêt à admettre que cette idée de se faire de nouveaux amis n'était peut-être pas si nulle.

C'est alors qu'il entendit le crayon tomber.

La blonde assise devant Molly ne s'en était pas aperçue. Trevor savait que rendre son crayon à quelqu'un était un moyen facile de nouer des liens. Si sa stratégie tournait court, il en profiterait au moins pour avoir une petite conversation avec le mec devant lui.

Il tendit la jambe et rapprocha le crayon avec son talon pour le ramasser. Puis il tapa sur l'épaule du gars en question.

– Eh, tu veux bien rendre ce crayon à ta voisine.

L'autre se retourna, horrifié.

– Qu... quoi ?

Trevor lui désigna la tignasse blonde à côté de lui.

– Elle. Tu peux lui donner ça ?

Le mec secoua la tête avec véhémence.

– C'est un mec, je t'avise. Il s'appelle Jake Jacobs.

Trevor se sentit rougir jusqu'à la racine des cheveux. La « fille » se retourna et... c'était bien un mec.

Trevor le détailla rapidement : jean baggy, pompes Vans et T-shirt de skater Tony Hawk usé jusqu'à la corde... Et se maudit. Pourquoi n'y avait-il pas regardé de plus près ?

En primaire, quand quelqu'un traitait un garçon de fille, ça faisait rigoler, alors qu'au collège, c'était presque un crime. Pourtant, des tas de filles et de garçons se coiffaient pareil. Cheveux longs, emmêlés et sales.

En se penchant pour récupérer son crayon, Jake Jacobs jeta un coup d'œil à la fiche de Trevor.

– Remets-toi à gribouiller, mon petit gars.

Tous les élèves éclatèrent de rire – sauf Molly qui continuait à se boucher les oreilles.

À la fin de l'heure, Libby déposa un mot sur la table de Trevor avant de sortir d'un air dégagé. Puis elle se dirigea gaiement vers son casier, ravie que Trevor ait décidé de se faire des copains, comme elle le lui avait recommandé. Corey Long, en plus… C'était super.

Elle connaissait Corey depuis plusieurs années. Ils appartenaient à la même équipe de natation. Il était le seul garçon, mais ça n'avait pas l'air de le gêner, vu l'enthousiasme avec lequel il soutenait ses coéquipières.

Dès qu'elle était dans le bassin, il lui criait : « Vas-y, Nicole ! » Elle appréciait ses encouragements, mais, trop embarrassée pour lui dire qu'il se trompait de prénom, elle passait un maximum de temps sous l'eau pour ne pas avoir à l'entendre. Du coup, on l'avait rétrogradée chez les débutants et elle avait abandonné la compétition, mais, au moins, elle avait amélioré sa capacité pulmonaire. Elle tenait quatre-vingt-trois secondes sans respirer.

Corey ne savait peut-être pas comment elle s'appelait, mais elle le trouvait sympa et se réjouissait que Trevor se soit rapproché de lui.

Trevor fit une boulette du petit mot de Libby et la fourra dans son sac. Elle avait entendu dire que Corey lui avait parlé ! N'importe quoi ! Il s'était douté que la machine à commérages de Cindy fonctionnerait à fond mais il ne pensait pas que ça arriverait si vite. Ni qu'elle ferait circuler une version des faits totalement fausse.

– Essaie ça.

Trevor leva les yeux. M. Everett se tenait devant sa table, une poignée de Skittles rouges dans le creux de la main. Il avait dû remarquer qu'il était contrarié.

– Ça va te calmer tout de suite.

Il lui tapota l'épaule avant de retourner finir son thé.

Trevor mâchonna les bonbons en marmonnant :

– C'est un cauchemar. Elle croit que Corey est cool avec moi. C'est un enfoiré, ce mec. Super bon, ces Skittles ! En attendant, si je ne me mets pas tout de suite à me chercher des amis et un rancard pour la fête, je sais déjà ce qu'elle va faire. Elle va appeler ma mère. Comme la fois où elle m'a surpris en train de discuter avec une tortue...

Il interrompit son monologue en voyant Molly le dévisager, bouche bée.

– Tu parles aux tortues ? s'exclama-t-elle, un peu écœurée.

– Oui. Non ! Juste une fois. Il pleuvait. Des inondations partout. Elle avait peur.

Elle l'observait, interloquée.

– Aider tortue. Besoin, elle avait.

Malheureusement, dans les moments difficiles, Trevor en revenait toujours au langage Yoda. Super gênant.

Molly rassembla ses affaires à la hâte.

– Euh, merci pour la carte, dit-elle avant de quitter précipitamment la salle.

Trevor se couvrit le visage des deux mains. Arriverait-il un jour à trouver les mots justes au bon moment ? Était-ce si dur que ça de se faire de nouveaux copains ? Mais, au fait, Molly s'imaginait-elle qu'il lui avait *donné* sa carte fétiche ?

Il sortit discrètement la boule magique miniature qu'elle lui avait passée en échange et lui chuchota :

– Molly va-t-elle me rendre ma carte ?

La réponse sur l'écran minuscule était écrite trop petit pour qu'il arrive à lire. Il comprit alors une chose essentielle : il lui fallait une boule plus grande.

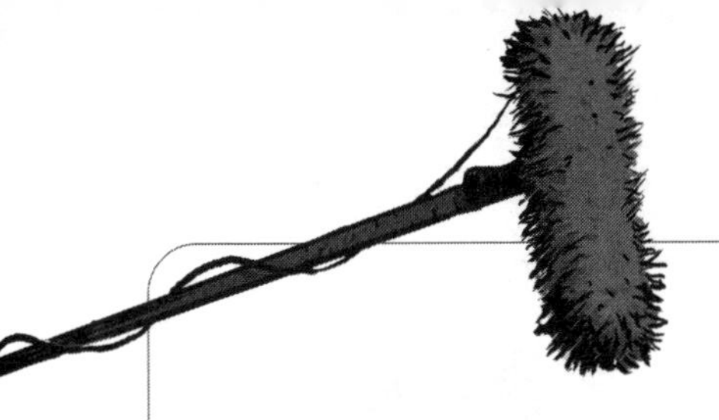

Trevor Jones

Le visage collé
contre son casier

8 h 50

J'ai besoin d'aide, de conseils, quelque chose ! Libby croit que Corey Long est sympa avec moi et que ça va me rendre populaire.

J'ai envie d'inviter Molly à la soirée, mais je ne suis pas foutu de trouver la formule pour lui demander.

M. Everett m'a affirmé que la poignée de Skittles qu'il m'a donnée allait me calmer. Pourquoi j'ai envie de faire des bonds sur un trampoline avec un bâton à ressort ?

Vous n'en auriez pas un, par hasard ?

Libby Gardner

Dans le couloir, cramponnée à son classeur

8 h 52

Ce qu'on raconte sur l'amitié naissante entre Corey et Trevor ? Ce n'est pas juste une rumeur. C'est vrai ! J'ai croisé Corey tout à l'heure. Il m'a raconté qu'il était tombé sur Trevor et qu'il lui avait donné un coup de main. J'ai dû lui dire que je ne m'appelais pas Nicole – comme ça faisait un bout de temps que ça me travaillait, j'ai pensé que c'était le moment.

Après, Corey a dit, vous n'allez pas le croire, que j'avais une jolie jupe !

C'est à MOI qu'il s'adressait !

Vous comprenez ce que ça veut dire ? Si un mec comme lui l'a remarqué, c'est presque sûr que QUELQU'UN va m'inviter à la soirée. Pas les jumeaux Baker, j'espère. Ils craignent, ces deux-là. Ils me font froid dans le dos. C'est une longue histoire sur laquelle je n'ai pas envie de m'étendre, mais je tiens tout de même à ce que vous sachiez que j'ai une « liste noire » où ils figurent en bonne place. Dans les cinq premiers. Non, les trois premiers.

Cette histoire avec Corey, c'est super excitant. Ça me donne envie d'attaquer mon stock de sauce Ranch. C'est pareil chaque fois que je suis heureuse. Ou triste. Quand j'ai froid, aussi. Je n'aime que la plus grasse. L'allégée ne réglera jamais les problèmes de PERSONNE, c'est moi qui vous le dis !

Que Trevor se trouve une partenaire pour la fête avant ce soir, je n'y crois pas trop. C'est pour ça que j'essaie de rencontrer un maximum de filles. Je lui fais de la pub pour en convaincre une de l'accompagner. À vrai dire, j'ai déjà quelqu'un en tête.

Dénicher un rancard pour Trevor, et m'en trouver un en plus. Ça fait beaucoup de choses à accomplir en une seule journée. Pas question de me tourner les pouces en attendant que Nancy Polanski lui flanque encore un coup de poing dans le ventre.

CHAPITRE HUIT

TREVOR ÉTAIT DANS LE COULOIR, LE NEZ CONTRE son casier. Marty l'aperçut et s'approcha de lui, un peu inquiet.

– Je t'ai dit de la jouer cool. Ce que tu fais là n'a rien de cool.

– J'ai besoin d'aide, Marty, répondit Trevor en relevant à peine les yeux. Et pas qu'un peu !

Marty consulta sa montre.

– Ça ne fait que quarante-cinq minutes qu'on est là et tu es déjà dans la panade ?

– Faut que j'invite Molly, la nouvelle, à la soirée. Avant la fin de la journée.

– Molly ? Je la connais. Elle est venue me trouver tout à l'heure pour me demander d'échanger son stylo contre mon magazine *Chasseur extrême*. Elle adore la chasse, figure-toi.

– Elle adore les cartes de base-ball rares, aussi.

– Ah ouais ?

– Ouais !

Trevor secoua la tête.

– J'ai un autre problème. Libby est persuadée que je vais me faire plein de potes parce que Corey Long est sympa avec moi.

– Impossible. C'est un cinquième.

– Je sais.

– Tu ne dois même pas regarder les cinquièmes. Encore moins devenir copain avec eux. Je suis bien placé pour le savoir. J'en suis un, et cette règle, c'est moi qui l'ai inventée.

C'était la vérité. Le jour de sa rentrée en sixième, l'année dernière, Marty s'était retrouvé enfermé dans le placard du gardien de l'école sans rien à manger, ni équipement de survie. Tout ça parce qu'il avait osé demander à un cinquième s'il voulait bien s'écarter pour le laisser boire à la fontaine. Wilson, le concierge, l'avait libéré au bout de cinq heures. Vu qu'il avait raté le déjeuner, il lui avait donné des crackers et du fromage en bombe.

C'est après ça que Marty avait établi cette règle d'or : les sixièmes ne doivent pas poser les yeux sur un cinquième ni lui parler s'ils tiennent à avoir une chance de survivre jusqu'à la fin de l'année.

– Je sais que Corey est en cinquième, Marty. Et j'aurais dû t'écouter. Il m'a piégé et je me suis retrouvé dans les toilettes des profs.

– C'était toi ?

– Ne com…

– C'est de toi que Decker parlait ?!

– Inutile de me le rappeler.

– Je trouve ça cool. C'est la deuxième année que je suis dans ce bahut et je n'ai jamais eu la vedette dans les annonces du matin. Tu t'es débrouillé pour qu'on cause de toi au bout de huit minutes chrono. Tu m'impressionnes, vraiment, conclut Marty en fourrant ses mains dans les poches de son pantalon de camouflage.

C'était le chaos dans les couloirs, entre les élèves qui essayaient d'ouvrir leur casier et ceux qui poussaient leurs camarades pour se frayer un chemin. Marty n'avait pas envie de poursuivre cette conversation au milieu d'une telle foule. Mieux valait ne pas donner aux autres sixièmes l'impression qu'ils pouvaient parler librement avec des cinquièmes. Trop dangereux !

Il s'éloigna un peu et s'adossa au mur, un pied contre la paroi, en se donnant des airs d'observateur en train de soutenir le mur en question.

– Viens par là, Trevor. On peut causer, mais il ne faut pas qu'on nous voie.

Trevor se rapprocha un peu, pas trop, et ils parlèrent à mots couverts, comme des agents secrets échangeant des informations en catimini.

– Je crois que Libby tient absolument à ce que je devienne copain avec Corey, tu vois, marmonna Trevor. En plus, elle m'a fixé un délai de ouf pour que je me trouve un rancard.

Il baissa la tête et ajouta :

– Quand j'ai un délai, ça m'obsède complètement.

Marty hocha la tête d'un air entendu.

– Il faut les tenir, c'est ça. Je comprends, mec. Ma grande sœur rêve d'être journaliste plus tard. Les délais, c'est son truc. Je pense que je peux t'aider.

Trevor ne savait pas trop pourquoi Marty était aussi sympa avec lui, allant jusqu'à enfreindre la règle pour bavarder avec lui. En tout cas, il avait l'air de comprendre son problème et de détenir la solution.

– M'aider ? Comment ? répondit-il, intrigué.

– On va faire d'une pierre deux coups, déclara Marty en se grattant la joue pour cacher le fait qu'il était en train de discuter avec Trevor. Enfin pas littéralement, c'est impossible. J'ai déjà essayé et c'est très compliqué.

– Okay, je vais faire d'une pierre deux coups, mais pas littéralement parce qu'une pierre, ça ne suffit pas. Pigé.

– Sauf que ça ne marche que pour une cible. Et toi tu dois te faire un copain ET te décrocher un rancard. Deux cibles.

– Je sais. C'est le problème.

– Il n'existe aucun manuel là-dessus. Ce serait nettement plus facile si on était coincés dans une avalanche, mais bon, en se rapportant aux techniques développées page 37 de *Chasseur extrême*, on devrait s'en tirer.

– Mais c'est Molly qui l'a, ton magazine !

– Ah oui, c'est vrai.

Marty gratta son crâne chauve.

– Va falloir improviser, alors.

Il fit signe à Trevor de le suivre à la fontaine où il fit semblant de boire tout en poursuivant la conversation.

– Je t'explique le plan, souffla-t-il d'un ton exalté digne d'un chroniqueur sportif. Faut faire comme avec les cerfs si tu veux qu'ils t'approchent : les ignorer.

– Les ignorer ? C'est ça la solution ?

– Concentre-toi sur Molly. Les mecs, tu les ignores. Ils se demanderont pourquoi tu es aussi relax et penseront forcément que tu l'es, du coup. S'ils te trouvent cool, ça incitera Molly à penser la même chose. Un truc d'associations. Et toc ! Tu auras ton rancard.

– Il me paraît génial, ton plan.

Marty prit une seconde pour boire une gorgée, puis releva la tête :

– Ça t'embêterait de récupérer mon magazine, pendant que tu y es ?

– Pas de souci. Mais comment je fais pour me concentrer sur Molly tout en restant cool ?

Avant que Marty ait le temps de répondre, un brun hirsute s'approcha d'eux d'un pas nonchalant.

– Hé, Trevor, paraît que tu es super bon à *Star Invaders*. C'est vrai ? Au fait, je m'appelle Jamie.

Heureusement, le conseil de Marty n'était pas tombé dans l'oreille d'un sourd : Ignore les mecs et ils penseront que tu es cool. Trevor détourna les yeux et croisa les bras sur sa poitrine en feignant l'indifférence. Sauf qu'au lieu de savourer ce flegme manifeste, Jamie tourna les talons.

– Pourquoi il se barre ?

Marty le saisit par l'épaule.

– Qu'est-ce qui t'a pris, mec ?

Trevor ouvrit des yeux ronds.

– J'ai suivi ton conseil. Je l'ai ignoré.

Si Marty avait eu des cheveux, il s'en serait arraché une poignée. À défaut, il se tapa le front.

– C'était une fille, mec !

– Quoi ?!

– Jamie Jennison. T'as pas remarqué son sac Hola Kitty ? Et ses lacets ? Je reconnais que tous ces cheveux longs, ça porte à confusion, mais t'aurais pu voir les indices.

Trevor baissa la tête d'un air penaud.

– Je n'y arriverai jamais !

– Les cours ne vont pas tarder à reprendre, enchaîna Marty. Je te propose qu'on discute encore un peu dans mon bureau, vite fait.

Trevor le suivit en direction des toilettes des garçons.

C'était donc ça, son bureau ? Décidément, Marty semblait avoir réponse à tout.

Marty Nelson

Dans le couloir, adossé au mur, en train de triturer ses petites peaux

8 h 55

J'ai dit à Trevor d'écrire un mot à Molly et de le lui donner pendant le prochain cours. Je ne savais pas trop quoi lui suggérer d'autre. C'est un bon moyen de brancher quelqu'un en se la jouant cool. Il m'a raconté que Libby lui avait passé un message, tout à l'heure. Du coup, je me suis dit que les filles aimaient bien les messages. Ça doit être pour ça que Molly avait un stylo en rab sur elle.

Il a intérêt à ne pas se faire piquer. Il risque une colle. J'ai oublié de lui préciser qu'ici, les petits mots pendant les cours, c'est interdit. En primaire, quand on était punis, on devait juste nettoyer des trucs. Mais c'est fini, tout ça. Au collège, on ne rigole plus !

J'ai décidé de lui enseigner ma méthode de transmission de messages perso… Celle du dépôt dans la poubelle. Elle date un peu, mais l'année dernière, ils nous ont imposé le PTPAC

– pas de téléphone portable au collège… Il a bien fallu qu'on trouve un système pour communiquer discrètement. Et nous, les cinquièmes, on a le devoir de transmettre ce savoir à nos successeurs.

Voilà comment ça marche. Tu attires l'attention de ton destinataire, tu t'approches du taille-crayon mural et tu déposes ton petit mot dans la poubelle en dessous. Le destinataire va tailler son crayon et récupère le message au passage.

Si jamais ça ne marchait pas, je lui ai dit qu'il pouvait toujours expédier le mot sur sa chaussure en faisant semblant d'éternuer. Les filles apprécient l'ingéniosité.

CHAPITRE NEUF

DEUX HEURES PLUS TARD, TREVOR AVAIT COURS DE MATHS et savait que libby ne serait pas avec lui. elle était en maths accélérés, et ça depuis la maternelle. à l'époque où les autres élèves jouaient avec des cubes, elle résolvait déjà des équations. pour elle, l'algèbre était une récréation.

En regardant autour de lui, Trevor repéra Molly. Timing parfait. Il allait avoir l'occasion de mettre le conseil de Marty en pratique. Il récapitula vite fait :

– Garde la tête froide.

– Concentre-toi sur Molly.

– Écris-lui un mot.

– Dépose-le dans la poubelle.

– Sinon éternue sur sa chaussure.

Le seul problème, c'est que Marty avait oublié de lui préciser ce qu'il devait marquer dans son message. Où avait-elle déniché ces sapes toutes déchirées ? Avait-elle l'intention de lui rendre sa carte fétiche ? Acceptait-elle d'aller à la soirée avec lui ?

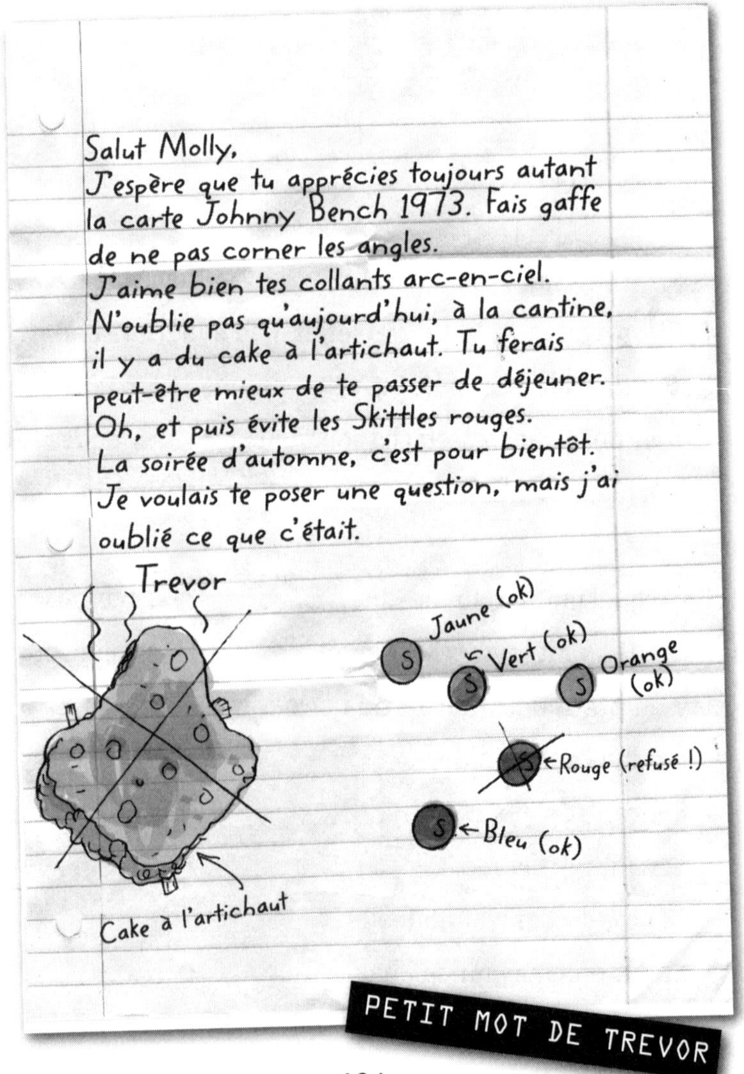
Salut Molly,
J'espère que tu apprécies toujours autant la carte Johnny Bench 1973. Fais gaffe de ne pas corner les angles.
J'aime bien tes collants arc-en-ciel.
N'oublie pas qu'aujourd'hui, à la cantine, il y a du cake à l'artichaut. Tu ferais peut-être mieux de te passer de déjeuner.
Oh, et puis évite les Skittles rouges.
La soirée d'automne, c'est pour bientôt.
Je voulais te poser une question, mais j'ai oublié ce que c'était.
Trevor

Au lieu de lui demander quoi que ce soit, il écrivit :

Il savait quelle question poser, évidemment. C'est juste qu'il ne savait pas comment la poser.

Il était allé à une fête, l'année dernière, mais pas le genre où on invite quelqu'un. On y allait, point barre. Sauf qu'il avait raté le mail de Libby lui précisant : tenue décontractée. PAS de cravates ! Il en avait mis une. À rayures. Et un blazer, en laine. C'est pour ça qu'elle avait inventé cette histoire d'enterrement de sa Mammy. Trevor avait eu honte parce que sa grand-mère était super gentille. Depuis, il devait l'empêcher d'approcher de l'école de peur d'être découvert.

Profitant que Mlle Ferrell, la prof de maths, écrivait les problèmes au tableau, Trevor mit le cap sur la poubelle. Il tapota l'épaule de Molly au passage pour qu'elle sache que son message lui était adressé.

Il était concentré comme un rayon laser. Arrive à la poubelle. Débrouille-toi pour que le message se retrouve entre les mains de la mystérieuse Molly sans te choper une colle.

En voyant Trevor passer devant sa table, un mot à la main, Jason Benson, le meilleur gardien de son équipe de base-ball l'année dernière, lui adressa un petit signe complice.

– Tu connais Marty toi aussi ?

– Ouais, répondit Trevor.

Jason brandit le pouce et Trevor se rendit compte qu'il venait d'avoir une conversation, certes brève, avec un mec super cool. Le meilleur gardien de but de l'équipe de baseball, on pouvait difficilement faire mieux. Il avait eu raison d'écouter Marty. C'était même la meilleure décision qu'il avait prise depuis son entrée en sixième.

Mais le punch provoqué par les Skittles avait dû passer. Il se sentait affreusement mou, tout à coup, fatigué et tête en l'air.

Soudain, il n'était plus certain de se rappeler les recommandations de Marty.

Que lui avait-il dit, déjà ?

De jeter son message par la fenêtre ?

Non, pas ça.

De l'expédier sur le taille-crayon ?

Non plus.

De l'éternuer dans la poubelle ?

Euh, ouais, je crois bien que c'est ça.

Ce qui n'était évidemment pas le cas, mais…

Atchoum !

Trevor lâcha sa feuille qui vola dans les airs, décrivant un arc de cercle parfait, pour se poser joliment dans la poubelle. Panier !

– Dégueu ! s'écria Jason.

Trevor se tourna vers Molly, mais elle était en train de dessiner, sans prêter la moindre attention à ce qui se passait autour d'elle.

Molly dessinait, elle aussi ? De plus en plus parfaite, décidément !

Jason se leva, courut à la poubelle et jeta un coup d'œil à l'intérieur.

– Tu viens d'éternuer là-dedans ou je rêve ?

Alors que Trevor tentait de s'expliquer, Mlle Ferrell s'approcha d'eux.

– Que se passe-t-il, les garçons ?

– Trevor vient d'éternuer dans la poubelle, répéta Jason.

– C'est pas vrai, je vous jure ! protesta Trevor. J'ai éternué un mot. Enfin, je veux dire...

– Les messages pendant les cours ne sont pas autorisés, jeune homme, d'où qu'ils sortent !

Entre-temps, Jason avait déplié la feuille.

– Ça parle d'une carte de base-ball. Ah, ah ! Tu amènes des cartes de base-ball au collège ?!

– Oui. Non. Enfin je les cache, mais...

– Elle n'est pas à lui, cette carte, intervint Molly. C'est la mienne. Et ce message vient de moi. Je lui ai demandé d'aller le jeter. Il a voulu me rendre service. Tout est de ma faute.

Mlle Ferrell la dévisagea par-dessus ses lunettes.

– Dans ce cas, tu es bonne pour...

– Je sais.

Molly se pavana jusqu'au bureau de la prof et y cueillit une fiche rose avant de regagner sa place d'un pas alerte. Elle s'était dit que le meilleur moyen d'éviter que les gens n'aient envie de se lier avec elle, c'était de récolter... un bulletin de colle. Personne ne voudrait être copain avec la nouvelle peste de la classe. Et se faire coller le jour de la rentrée vous valait forcément ce titre. Trevor lui avait fourni l'alibi idéal.

En la regardant se rasseoir à sa place, un petit sourire aux lèvres, Trevor se pinça le coude en se demandant s'il n'était pas en train de rêver.

Molly s'était accusée à sa place. Elle devait le kiffer grave !

Molly la Mystérieuse

Dans la salle de classe vide

Assise sur le bureau du prof, en train de balancer les jambes

10 h 49

Je n'ai surtout pas fait ça pour être sympa. Je voulais décrocher un bulletin de colle. C'est la solution pour que les autres vous évitent. On s'ennuie tellement, ici ! La colle, c'est le moment le plus intéressant de la journée. Une heure entière de silence pour dessiner ? C'est quand vous voulez !

Et puis je n'avais pas envie que Trevor ait des embêtements. Tout le monde n'a pas besoin de savoir qu'il a un problème d'éternuement.

Je n'ai jamais pu voir son petit mot. Je me demande s'il m'était adressé.

Pas possible. Qui aurait l'idée d'écrire un message à une fille et de l'ÉTERNUER dans la poubelle ?

Sauf s'il est mal conseillé. Il me fait l'effet du type qui ne sait pas s'entourer. Il lui faut un bon copain. C'est pour ça que je lui ai passé ma boule magique. Ça marche aussi bien qu'une personne. Peut-être même mieux.

CHAPITRE DIX

TREVOR DESCENDAIT LE COULOIR, TOUT EXCITÉ PAR les événements qui venaient de se dérouler en cours de maths – enfin, jusqu'à un certain point – quand à un angle, il se retrouva nez à nez avec Corey Long !

Il fallait à tout prix qu'il récupère sa carte fétiche, et vite fait. La chance n'était manifestement plus de son côté.

– Tu cherches encore les toilettes ?

Corey affichait son plus beau sourire – qu'il mettait au point chaque matin dans le rétroviseur latéral du Range Rover de sa mère. Elle le notait sur une échelle de un à dix, et il n'avait pas le droit de sortir de la voiture jusqu'à ce qu'il ait au moins huit.

– Investis-toi, lui disait-elle, persuadée qu'un sourire convaincu favorisait la confiance en soi. (Il faut dire qu'elle était agent immobilier.)

Ce rictus diabolique ne manquait pas d'efficacité : Trevor en oublia où il allait.

– Je… euh…

– Tu vas te réserver une place à la cantine ? Futé, mon pote, mais évite de t'asseoir dans le coin des cinquièmes, ou tu peux dire adieu à ta pizza.

Les cinquièmes n'écoutaient-ils donc jamais rien ? Trevor envisagea de lui expliquer que la pizza venait d'être remplacée par un cake à l'artichaut. Il décida finalement d'écourter la conversation, trop content de s'en tirer sans dommage. Il enjamba prudemment le pied de Corey en regardant droit devant lui et continua son chemin.

Dès qu'il aperçut la cantine, il accéléra. Libby lui avait bien précisé dans son mail qu'il était essentiel d'arriver en avance pour le déjeuner. Sinon, toutes les places étaient prises et on se retrouvait dans le couloir à grignoter des croûtons récupérés sur le buffet des salades.

Les autres élèves traînant encore dans les couloirs, Trevor se sentait à son aise pour étudier la disposition des lieux. Il essaya de deviner où les cinquièmes pouvaient bien s'asseoir, déterminé à se mettre aussi loin d'eux que possible.

C'est alors qu'il aperçut Wilson, le gardien de l'école, un grand type mince, adossé au mur en face de lui. Sa chemise impeccablement repassée était rentrée dans son pantalon de travail kaki, maintenu nettement au-dessus de sa taille par une ceinture à la boucle étincelante. Il était en train d'astiquer un gros outil avec une peau de chamois.

– Tu as besoin de quelque chose, fiston ? demanda-t-il sans lever les yeux.

– Je fais juste un petit repérage. Vous êtes le gardien, c'est ça ?

– Appelle-moi Wilson.

Il s'écarta du mur et approcha.

– Je suppose qu'on peut dire que je suis le gardien, même si je n'aime pas trop ce titre. J'ai des tas de fonctions. Je fais office de surveillant, aussi.

– Vous pourriez peut-être m'aider, alors. Je cherche un endroit sûr pour m'asseoir.

Wilson hocha la tête.

– Quelqu'un qui réfléchit avant d'agir ! Respect !

– Oui, enfin, d'habitude on me traite plutôt d'anxieux.

– Tu es prévoyant, c'est très bien. La vie est une partie d'échecs. Il faut toujours être sur ses gardes.

Ce type avait l'air de savoir de quoi il parlait, pensa Trevor.

– Il faut que je sache où les cinquièmes s'installent. Vous devez être au courant.

– Ça change tous les jours. Ils aiment bien tenir les sixièmes en haleine. C'est comme ça depuis toujours. La tradition.

Trevor se laissa tomber sur la chaise la plus proche.

– Tant pis, je vais attendre. Je verrai bien où ils se mettront en arrivant.

Il glissa sa main dans la poche de son sac où sa carte fétiche aurait dû se trouver. Vide !

Wilson récupéra sa boîte à outils avant de se diriger vers la porte.

– Tu risques d'attendre un bout de temps. Le déjeuner n'est pas avant une heure.

En poussant le battant, il ajouta :

– Veille à ne pas être en retard au prochain cours. Ce serait dommage que tu te prennes une colle le jour de la rentrée.

Et crotte !

Trevor se leva précipitamment et jeta son sac sur son épaule. En fonçant dans le couloir, il comprit qu'il s'était encore fait piéger par Corey.

Wilson avait peut-être une sorte de diplôme en psychologie susceptible de résoudre ce genre de problème, mais Trevor savait exactement à qui il devait demander conseil, qu'elle soit son amie amie ou pas.

Quand l'heure du déjeuner arriva – pour de vrai –, il se lança à la recherche de Libby. Il fallait qu'il la persuade que Corey Long avait de très mauvaises intentions à son égard. Ça se voyait dans son regard.

Libby saurait quoi faire. Elle était magique. Elle avait l'esprit super pratique, en tout cas.

La cantine se remplit vite. Tout le monde semblait en mode survie, se ruant sur les chaises, courant prendre sa place dans la file d'attente. Il régnait un tel chaos que Trevor avait presque le tournis.

Il repéra Libby installée à une table avec une bande de filles. Il restait une chaise vide. Ne voulant pas éveiller l'attention de ses copines sur son problème avec Corey, il décida d'avoir une conversation rapide et discrète avec elle.

En se glissant sur le siège en face d'elle, il se cogna le genou contre le pied de la table.

– Aïe !!

Elle lui sourit quand même, visiblement contente qu'il s'intègre à son groupe. Il serra les dents pour encaisser la douleur.

– Lib, dit-il aussi posément que possible étant donné ce qu'il endurait, il faut que je te dise un truc.

Toutes les filles de la table braquèrent les yeux sur lui. Libby ne pouvait pas lui parler, avec tout ce monde qui les espionnait. Elle l'ignora donc et resta assise bien droite sur sa chaise, les doigts croisés, en posture « préparation de projet ». Elle s'était débrouillée pour rassembler une bande de filles remarquables – autant de rancards potentiels pour Trevor. Elle avait passé la matinée à vanter ses mérites auprès d'elles, en exagérant un peu de temps en temps pour la bonne cause. Ce qui était génial dans son plan, c'est que tout en recrutant secrètement une partenaire pour Trevor, elle était en train de se faire plein de nouvelles copines. Une super manière de gérer son temps !

En sentant tous ces regards fixés sur lui, Trevor rougit. Pourquoi me regardent-elles toutes avec ce drôle de sourire sur les lèvres ? Seraient-elles au courant de mon problème avec Corey ?

Les rumeurs circulaient sacrément vite dans ce collège. Il avait intérêt à prendre le large avant d'aggraver les choses.

– Je... je vais voir si je trouve des potes avec qui m'asseoir, balbutia-t-il en tripotant une serviette en papier.

– Oh !

Libby était cruellement déçue. Elle s'était donné tellement de mal pour rassembler toutes ces filles. En même temps, ne lui avait-elle pas recommandé de se faire de nouveaux amis ? Elle pouvait difficilement lui jeter la pierre.

En le voyant se carapater, elle lui courut après, histoire de lui glisser quelques petits conseils rapides.

– Ne te mets pas avec les cinquièmes, lui chuchota-t-elle à l'oreille. Et surtout, reste à l'écart des jumeaux en général.

– Pourquoi ça, Lib ? riposta-t-il, les bras croisés avec un air suffisant.

Il aimait bien appuyer sur son bouton « phobie des jumeaux ». C'était une sorte de passe-temps chez lui.

– Je trouve intéressant que tu refuses d'affronter ton problème avec les jumeaux alors que tu n'arrêtes pas de remettre la question sur le tapis.

Vexée, elle tourna les talons et se dirigea vers le comptoir à condiments.

Libby Gardner

Au comptoir
des condiments

En train de remplir
des gobelets de sauce
Ranch

12 h 10

Écoutez, c'était en CM1. Je flashais sur Fabian Fisher, un des deux jumeaux, d'accord ?

J'étais moins prudente avant, et il se trouve qu'ACCIDENTELLEMENT, j'ai glissé une carte de la Saint-Valentin dans le sac de Frankie Fisher à la place de celui de son frère. Apparemment, Frankie en recevait rarement d'aussi explicites. Après ça, il a commencé à me faire des bagues avec des brins d'herbe du terrain de foot et n'a pas arrêté de me suivre à la trace. Ça a duré des années. Je dis bien, des années.

Quand leur père a été muté à Ithaca, personne ne s'est réjoui autant que moi, je peux vous l'assurer.

CHAPITRE ONZE

IL FALLAIT QUE TREVOR TROUVE VITE FAIT QUELQU'UN avec qui s'asseoir. Libby semblait fonder de grands espoirs sur lui, et il se donnait un mal fou pour ne pas la décevoir – tout comme il essayait toujours de ne pas décevoir sa mère, d'où sa tendance aux maux d'estomac.

Il aperçut deux types assis tout seuls dans un coin, qui avaient l'air de se faire la tronche. Il y avait une chaise libre à côté d'eux. Ils ne se connaissaient peut-être pas et seraient contents d'avoir quelqu'un pour entretenir la conversation. Il tenait sans doute sa chance de nouer de nouveaux liens... Libby allait être fière de lui !

Il rassembla son courage pour marcher droit sur eux et bredouiller les cinq mots les plus humiliants du monde :

– Je peux m'asseoir avec vous ?

Il avait dit ça calmement, mais en son for intérieur il tremblait comme un chihuahua sur un iceberg.

Les deux gars haussèrent les épaules.

Comment interpréter ça ? Trevor n'en avait pas la moindre idée.

En les regardant d'un peu plus près, il se rendit compte qu'ils se ressemblaient étrangement. Et pas seulement parce qu'ils portaient la même chemise.

Des jumeaux !

Oh, non ! Il redoutait de propulser Libby dans une sorte de dépression post-traumatique liée à sa hantise des jumeaux s'il s'asseyait avec eux. Mais il ne restait pas une seule place libre dans toute la cantine, il n'avait pas trop le choix.

Il se glissa à côté d'eux et tenta de s'immiscer dans leur conversation. Sauf qu'ils étaient accaparés par la leur.

– Elles sont à moi, ces chips !

– Tu m'as piqué mon lait chocolaté.

– C'est maman qui me l'a donné.

– Les chips, c'est à moi qu'elle les a donnés !

– Alors file-moi les biscuits.

– Pas tant que tu ne m'auras pas rendu le lait.

Trevor essaya d'y mettre son grain de sel.

– Vous voulez un bâton de yaourt ? Il est juste à la bonne température.

– Hein ?

Il était content qu'ils se soient aperçus de sa présence, mais ils le fixèrent en silence, d'un air morne, comme s'il était censé dire quelque chose de super profond.

– Euh… il est sympa, le gardien, non ?

Pas de réaction.

Il tenta de mentionner le souci qu'il avait eu avec les Skittles rouges – ça lui paraissait une bonne idée pour alimenter le débat. Seulement, la simple évocation d'une nourriture suffit à relancer la querelle entre les deux frères.

– Tu ne m'as toujours pas rendu mes chips.

– Donne-moi le lait.

– Quand tu m'auras rendu mes chips.

– File-moi le lait, tout de suite.

Trevor opta pour la question sûre apprise en cours d'éducation civique en CM1. La question qui ne rate jamais.

Celle du nom, bien sûr, pas celle qui avait trait à l'infection. Il y eut un silence, puis finalement :

– Brian Baker.

– Brad Baker.

Ouf ! Ça avait marché.

– Moi, c'est Trevor Jones.

Encore un silence.

Il tripota son cake à l'artichaut, super lourd et clairement immangeable. Qu'est-ce que la cuisinière allait bien pouvoir

FORMATION À LA VIE SOCIALE

BESOIN DE VOUS FAIRE DE NOUVEAUX AMIS ?

QUESTION QUI NE RATE JAMAIS :

QUESTION QUI RATE À TOUS LES COUPS :

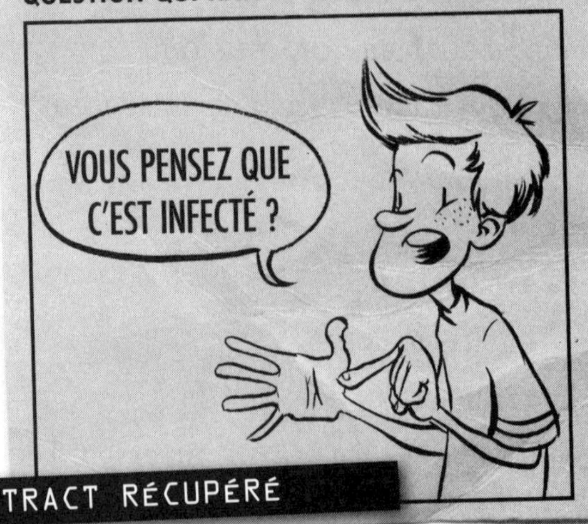

TRACT RÉCUPÉRÉ
EN PRIMAIRE PAR TREVOR

faire des restes ? S'en servir de matériel de construction ? À moins qu'elle ne les rapporte chez elle pour nourrir ses piranhas ? Et si elle en faisait don à la science ? Il décida de poser la question aux deux frères, mais ils étaient repartis dans une autre discussion pour déterminer lequel avait le plus de pépites de chocolat dans ses cookies.

Trevor n'ayant plus faim du tout, il décida de se rendre à son casier avant le cours suivant, mais avant qu'il ait eu le temps de récupérer son plateau, quelqu'un lui tapa sur l'épaule. C'était Wilson, le gardien qui préférait qu'on ne l'appelle pas comme ça.

– Évite d'aller boire de l'eau à la fontaine, chuchota-t-il.

– Pourquoi ?

– La partie d'échecs, tu te souviens ? Il faut réfléchir avant de déplacer ses pions.

Sur ce, il s'éclipsa.

En scrutant la fontaine à distance, Trevor ne remarqua rien d'inhabituel. Il s'en approcha et, juste devant, il repéra un monticule de purée, plutôt liquide, attendant que quelqu'un vienne glisser dessus. La zone occupée par les cinquièmes se trouvait juste derrière.

Il vit Corey le fixer d'un œil mauvais avec un sourire d'un nouveau genre : celui du « je suis fier d'avoir monté un sale coup ». Ce sourire-là, il ne l'avait testé qu'une ou deux fois dans le rétroviseur de sa mère, mais il était à peu près sûr de l'avoir perfectionné.

Trevor resta cloué sur place, conscient que Corey avait mis ce tas de purée à cet emplacement stratégique exprès pour qu'un élève étourdi glisse dessus. Trevor a priori. Parce que, franchement, qui d'autre se vautrerait sur une flaque de purée ?

Alors qu'il regardait fixement le monticule à quelques mètres de lui, il entendit Brian Baker dire à son frère :

– Je le trouve plutôt cool.

– Qui ça ?

– Le type qui s'est assis à notre table.

– Ah bon ?

– Ouais. Il nous a demandé comment on s'appelait. Tu sais bien, la question sûre qu'on a apprise en CM1.

– Ah, lui !

– En attendant, tu me dois un cookie.

– C'est ma chemise que tu as sur le dos, je te rappelle.

– N'importe quoi !

– Rends-moi mes pompes !

Suivit une nouvelle chamaillerie donnant lieu au lancer d'un cookie qui atterrit aux pieds de Trevor.

Celui-ci, se souvenant de la mise en garde de Wilson, avait décidé de larguer les amarres.

C'est alors qu'il marcha sur le cookie tout écrabouillé. Il dérapa et se retrouva sur les fesses, comme s'il avait tenté un vol de base au base-ball. Sauf qu'il n'était pas sur un terrain de sport, mais dans la cantine du collège, le jour de la rentrée.

Brad Baker se tourna vers son frère :

– Tu me dois un cookie.

Toute la salle partit d'un éclat de rire hystérique. Trevor se releva à la hâte et jeta un coup d'œil dans la direction de Libby, qui secouait la tête en se mordillant la lèvre.

À l'instant où elle l'avait vu tomber, elle avait envisagé d'expliquer à tout le monde qu'une salamandre s'était échappée de quelque part et qu'une fois de plus, il s'était comporté en héros. Mais elle ne pouvait pas continuer à lui sauver systématiquement la mise. Il finirait bien par arrêter de se casser la figure.

Elle se détourna en poussant son cake à l'artichaut dans son assiette, réprimant un haut-le-cœur.

Trevor rapporta les morceaux de cookie encore un peu près intacts aux jumeaux. C'est alors qu'il aperçut Molly, au bout de la rangée, les yeux rivés sur lui. Elle aussi avait assisté à sa débâcle. Il était déjà mortifié de s'être vautré devant presque tout le collège – pour la seconde fois de la journée –, mais lorsqu'il croisa son regard, ses joues virèrent au rouge intense.

Bien que choquée par son manque de coordination, Molly reconnaissait qu'elle s'était bien amusée. C'était la première fois qu'elle était témoin d'une chute aussi spectaculaire à la cantine. À cause d'un cookie, en plus. Fascinant !

En la voyant le fixer ainsi, Trevor comprit qu'elle commençait à se désintéresser de lui. Bon sang ! Ça se passait tellement bien jusqu'ici ! Mais elle n'accepterait jamais d'aller avec lui à la soirée s'il se comportait en loser ! Réflexion faite, c'est peut-être Corey qui l'avait intégré DE FORCE dans cette sinistre catégorie. Ouais, c'est ça. Le problème ne vient pas de moi, mais de lui !

Il était temps de réagir. Si Libby refusait d'intervenir, Trevor devait prendre les choses en main lui-même. Un plan... voilà ce qu'il lui fallait.

Soudain la solution lui apparut, claire comme de l'eau de roche.

Trevor Jones

Devant les portes
de la cantine en train
de faire les cent pas

Un léger tic à l'œil

12 h 35

Ce n'est peut-être pas le meilleur plan du monde, mais c'est jouable. Ce qui signifie que je peux le mettre à exécution.

Il faut que j'empêche Corey de me harceler, que je trouve une partenaire pour la fête et que je sauve le monde. Autant viser haut ! Je vais faire ce que Marty m'a conseillé – d'une pierre deux coups.

Je vais me prendre une colle. Voilà mon plan.

Ça vous fait rire ? Je prends des risques, d'accord. Je ne verrai sans doute plus jamais la couleur d'une charlotte à la framboise et j'aurais peut-être mieux fait de consulter ma boule magique, mais… il se pourrait que j'aie eu un trait de génie.

Un jour, à la bibliothèque, j'ai entendu des élèves plus vieux que moi parler d'un mec solitaire et un peu bizarre qui s'était fait coller le jour de la rentrée. Ils avaient l'air d'avoir carrément peur de lui. Ça pourrait être moi, ce gars-là. Une colle le jour de la rentrée OBLIGERAIT Corey à me lâcher la grappe. Il finirait peut-être même par me traiter avec respect.

Ça va marcher, j'en suis sûr.

Il ne me reste plus qu'à trouver le moyen de me faire coller.

Il faut que je me débrouille pour mettre mon plan en marche avant que Libby m'en dissuade sous prétexte que ça va me valoir une sale réputation. En même temps, à ce stade, n'importe quelle réputation – y compris la pire – serait mieux que rien.

CHAPITRE DOUZE

QUAND LA CLOCHE SIGNALANT LA FIN DE LA PAUSE déjeuner sonna, Trevor se joignit à la masse des élèves qui sortaient de la cantine. Il restait cinq minutes avant le prochain cours. Tout le monde déambulait dans les couloirs. Sauf Corey, heureusement.

Trevor avisa Wilson en faction devant la grosse poubelle près du local où il rangeait son matériel. Et s'il la renversait ? Wilson serait fou de rage, et ça lui vaudrait à coup sûr une colle. Pas bête ! Mais Wilson lui avait filé un sacré coup de main. Ce serait cruel. Et puis des ordures partout par terre ? Plutôt dégueu. Il pouvait trouver un moyen moins salissant de s'attirer des ennuis.

Au beau milieu de ses réflexions, Libby s'approcha de lui par-derrière et lui donna une petite tape sur l'épaule. Il sursauta.

– Ta mère n'arrête pas d'appeler.

– Maman ? Elle sait qu'on n'a pas le droit d'avoir nos portables à l'école.

Libby fit la grimace, l'air un peu coupable.

– Il est possible que je lui aie dit qu'elle pouvait me laisser des messages, même si je gardais mon téléphone éteint. Elle en a laissé quatre !

– Pourquoi est-ce qu'elle insiste autant ?

– Elle se fait du mouron pour toi.

– Si seulement j'avais juste hérité de sa taille ! marmonna Trevor en secouant la tête.

Soudain il s'aperçut... qu'ils étaient seuls, en dehors des centaines d'élèves qui circulaient autour d'eux... Et il restait encore quelques minutes avant le prochain cours.

C'était le moment idéal pour lui parler de Corey – de sa méchanceté et de sa détermination à avoir sa peau. Mais avant qu'il ait le temps d'aligner deux mots, Libby le désarçonna en levant les yeux vers une affiche placardée au mur. Celle qui énumérait les fautes susceptibles de valoir une colle à un élève.

Une partie du texte avait été rayée au marqueur. Quel était l'imbécile qui avait pris cette initiative ? Alors qu'il se penchait pour essayer de déchiffrer le petit 3, Libby le saisit par le bras.

Comment choper une colle :

1. Se servir d'un portable

2. Contrarier Wilson

3. [illegible]

AFFICHE PLACARDÉE DANS LE COULOIR

– Il faut qu'on se dépêche. Le cours va commencer.

– Attends. J'ai un truc à te dire. C'est super important.

Il se plaqua contre le mur pour laisser le passage aux élèves qui cherchaient à les dépasser en rangs d'oignons.

– Tu vois, le truc avec Corey…

La sonnerie du portable de Libby se déclencha à cet instant, résonnant telle une alarme dans le couloir. Tous les regards se braquèrent sur eux. Ils se dévisagèrent avec des yeux grands comme des soucoupes. Ayant lu l'affiche, ils savaient que cette sonnerie, si elle parvenait aux oreilles d'un enseignant, était synonyme de colle.

– Interdit de se servir de nos portables à l'école. C'est un des deux premiers motifs de colle, chuchota Libby, mais tout le monde l'entendit.

Elle jeta un coup d'œil à l'écran.

– C'est encore ta mère.

– Tu vas avoir des problèmes, répondit Trevor, ravi de cette aubaine. Passe-le-moi. Je vais répondre.

– Non. Tu vas te prendre une colle. Je vais l'éteindre.

Trevor s'empara du portable.

– Tu connais maman. Si elle appelle, c'est que ça doit être important.

– Ça sera marqué dans ton carnet scolaire. Pour toujours.

Libby lui reprit le téléphone des mains.

– Laisse-moi répondre, implora-t-il.

Libby enfonça la touche verte et marmonna en cachant sa bouche :

– Bonjour, madame Jones... Oui, ça se passe très bien. Trevor est sur le point de devenir copain avec un garçon super sympa. Mais je ne peux pas vous parler, là...

En la foudroyant du regard, Trevor lui envoya un message-sourcils aussi explicite que possible. Non ! Arrête ! Il allait devoir se faire un nouveau copain pour impressionner sa mère, en plus.

Il vit M. Everett se diriger droit sur eux.

– Laisse-moi lui parler, insista-t-il.

Si quelqu'un avait besoin d'un bulletin de colle, c'est lui. Pas Libby.

Elle lui passa le portable à contrecœur.

– C'est ta maman.

– Je sais !

Il s'éloigna de quelques pas pour qu'elle ne puisse pas l'entendre.

– Maman ? Oui, ça se passe bien avec mes camarades. Non, je ne suis pas encore copain avec lui, mais ça ne va pas tarder. Évidemment, je te respecte... Non j'ignorais que tu m'avais eu par voie naturelle... Oui, je suis conscient que tu veux que je développe mon potentiel au maximum. Non ça je ne le savais pas...

Depuis que ses parents étaient divorcés, Trevor avait eu droit chaque jour aux sermons de sa mère sur la nécessité d'être quelqu'un de bien, d'exploiter son potentiel, de respecter les filles, etc.

Il était sûr que le caractère de sa mère était la cause de la décision prise par son père de les abandonner pour aller vivre sur une plage où il était fabricant de planches de surf et le fier propriétaire d'un bus Volkswagen tout défoncé et super mal repeint.

Trevor estimait qu'il y avait pire comme situation. En attendant, ça lui valait des leçons de morale quotidiennes.

– Attends une seconde, marmonna-t-il, au moment où M. Everett arrivait à sa hauteur.

Il plaqua sa main sur le minuscule récepteur.

– Oui, monsieur Everett ?

Il ne put s'empêcher d'afficher une mine réjouie. Son plan était en train de marcher.

– Les élèves ne sont pas autorisés à téléphoner dans l'enceinte de l'école. C'est passible d'une colle.

Trevor se redressa de toute sa taille.

– Vous voulez me coller ? Alors, oui. Pas de doute là-dessus. Je suis en train de téléphoner. Regardez, monsieur !

Il brandit le portable en continuant à couvrir le récepteur.

– Je téléphone, on ne peut pas dire le contraire.

Libby le dévisageait, horrifiée. Cherchait-il à se faire coller pour de bon ? Se rendait-il compte de l'effet que ça allait avoir sur sa réputation ? Son choix de partenaires s'en trouverait réduit pour ainsi dire à néant ! Aucune fille n'accepterait l'invitation d'un naze qui se prend une colle le jour de la rentrée. Même pas Nancy Polanski.

Et même s'il n'avait pas d'ambitions politiques, Trevor ne pourrait jamais prétendre à un poste de délégué de classe. Libby était bien placée pour le savoir. Elle connaissait par cœur les conditions requises pour se présenter. Étant donné que cette année, elle allait reprendre le flambeau.

– Passe-moi ce téléphone, Trevor, lança M. Everett d'un ton impérieux.

Il s'empara du petit portable rose et le porta à son oreille.

– Allô !... Oh, madame Jones ! Ravi de vous avoir au bout du fil... Non, j'ignorais qu'il y avait une collecte de fonds ce week-end... Je vous donnerai un coup de main, bien volontiers... Non, je ne savais pas que vous aviez accouché par voie naturelle... Okay, à ce week-end alors... Je ne manquerai pas de le lui dire. Au revoir, madame Jones.

M. Everett rendit le téléphone à Trevor.

– Essaie de développer ton potentiel, Trevor. Ne nous déçois pas.

– À propos de la colle...

– Dès lors que tu respectes ta mère, la punition saute.

Et il s'éloigna en sifflotant.

Pourquoi était-ce si compliqué de décrocher une misérable colle ?

Libby se jeta sur Trevor.

– Ne me dis pas que tu l'as fait *exprès* pour te choper une colle ? Tu te rends compte comme ça va être dur, pour moi, de te trouver une partenaire ?

– J'essayais juste…

Les paroles de Libby mirent quelques secondes à atteindre le côté de son cerveau qui traite les informations.

– Attends. Ce serait dur pour *toi* de… quoi ?

Il se balança d'un pied sur l'autre, soulagé d'apprendre qu'elle avait enfin décidé de reprendre sa vie sociale en main.

Libby se mordilla une petite peau en se demandant comment elle allait se tirer de ce mauvais pas.

– J'ai dit : Comme ça va être dur pour *toi* de te trouver une partenaire. Pourquoi est-ce que *moi*, je m'occuperais de ça ? C'est ridicule.

Elle agita les mains en tous sens dans l'espoir de le distraire et pour qu'il arrête d'y penser.

– Tâche d'arriver en cours à l'heure, okay ?

Trevor ne savait plus où il en était. Toutes ces gesticulations l'avaient déconcentré. Il aurait juré qu'elle avait parlé de *lui* trouver une partenaire… Pourtant, il n'eut pas le temps d'y réfléchir davantage. Libby le planta là, et, comme les élèves commençaient à se disperser, il repéra quelqu'un qui n'avait pas l'air pressé.

Corey Long, adossé à un casier.

Parfaitement à l'aise dans ses baskets, comme toujours.

Corey Long

Tapant un rythme impressionnant avec des baguettes de tambour sur un casier. Le mec clairement hors normes !

12 h 55

On envoie un sixième dans les mauvaises toilettes, on lui fait une balayette. Après ça on le lui rappelle toute la journée. Ça n'a rien de personnel. Ça fait partie de la tradition.

Trevor est peut-être cool, en fait. Je l'ai vu parler au téléphone dans le couloir. Il est sûr de se ramasser une colle !

Ça me rappelle une scène dans ce film avec des tortues Ninja mutantes. Celle où le mec… fait ce truc… Je ne me souviens plus très bien. Peu importe. En attendant, Leonardo, c'est le plus cool de tous. Je suis Leonardo à cent pour cent.

Quoique. Peut-être plutôt Splinter. Le rat. Leur maître à tous.

(Remarquable roulement de tambour. Après quoi il range ses baguettes dans son sac et rectifie sa mèche.)

Oui, c'est ça. Je suis le rat.

CHAPITRE TREIZE

TREVOR NE SAVAIT PLUS QUOI FAIRE. PRENDRE ses jambes à son cou ? Feindre un mal de ventre terrassant ?

Sans s'en rendre compte, il leva les sourcils en regardant Corey. Heureusement que ce n'était pas Libby, parce que cette expression signifiait : « Tu veux qu'on joue à un jeu vidéo ? » Il se frotta le front pour faire taire ses sourcils.

Ceux de Corey ne lui répondirent pas, mais Corey lui envoya un autre message : il pointa le doigt sur sa chaussure, celle qui l'avait fait se vautrer quelques heures plus tôt et se mit à taper du pied. D'une manière franchement malveillante, et avec un sourire sournois.

Trevor comprit qu'il cherchait à lui rappeler la situation horriblement gênante dans laquelle il l'avait mis. Corey était clairement déterminé à lui pourrir la vie. En attendant, il fallait qu'il se grouille s'il voulait arriver en cours à l'heure.

D'ailleurs, le couloir s'était vidé tout à coup. Il ne restait plus qu'eux deux. Trevor et Corey, tout seuls.

Trevor attendait le moment où la musique du duel allait commencer. Quand Corey s'approcha de lui d'un pas noncha-lant, il tressaillit.

Corey éclata de rire.

– T'inquiète. Je ne vais pas te faire une balayette. Pas besoin. Les rumeurs circulent vite par ici. Il suffit que je raconte à Cindy que tu t'es pris une gamelle, et tout le monde le croira.

Trevor haussa les épaules, comme si cette menace ne lui faisait ni chaud ni froid.

– Même Molly, insista Corey.

Il fit mine de s'éloigner avant de faire volte-face.

– J'ai entendu dire qu'elle espérait qu'un mec cool allait l'inviter à la fête, pas un zozo qui se fait faire des balayettes à longueur de journée. Dommage, hein ?

Pourquoi Corey lui cherchait-il constamment des noises ? Et comment connaissait-il Molly ?

Trevor décida qu'il était temps de lui tenir tête.

– C'est là que tu te trompes, Corey. Elle n'a pas envie qu'un mec cool l'invite.

Ce n'était pas tout à fait ce qu'il avait voulu dire.

Mais avant qu'il ait trouvé la bonne formule, Corey avait disparu.

Corey Long

En train de boire de l'eau à la fontaine

En retard, sans que ça le gêne le moins du monde

13 h 01

J'ai probablement poussé le bouchon un peu trop loin. Mais vous avez vu la rapidité avec laquelle tous les autres se sont volatilisés ? J'ai dû l'affronter tout seul ! C'était comme dans cette scène des *Aventuriers de l'arche perdue*… À moins que ce ne soit dans *Indiana Jones et le temple maudit*. Bon sang ! Je ne me rappelle plus. Une scène palpitante, en tout cas.

Il a bien fallu que je dise QUELQUE CHOSE. J'ai une réputation à sauvegarder. Je ne suis pas devenu légendaire en faisant mes devoirs et en me léchant les babines à la cantine. Une réputation exige de l'engagement !

Comme dans *Toy Story*. Ces petites créatures ne renoncent jamais.

Je pense que si j'avais le choix, je serais Buzz l'Éclair. Woody, c'est un guignol, à mon avis. Vous voyez ce que je veux dire ?

Ou le cochon ? Il est drôle.

Oui, c'est ça, je suis le cochon.

En arrivant au cours de gym, Trevor découvrit que sa classe partageait le terrain avec des cinquièmes parmi lesquels, heureusement, il reconnut Marty.

Il sortit un peu du rang pour attirer son attention.

– Pssst ! Faut que je te demande quelque chose.

– On n'a pas le droit de parler.

– Je sais, répondit-il du coin de la bouche. Mais quelqu'un a barré le petit 3 sur l'affiche et... j'ai besoin de savoir ce qu'il faut faire pour se prendre une colle.

– J'en sais rien, souffla Marty en inclinant la tête de côté. Je ne me suis jamais fait coller.

– Ah bon ? Jamais ?

– Ce n'est pas parce que j'ai le crâne rasé que je torture des chats pour m'amuser.

– D'accord...

Marty regarda autour de lui pour s'assurer que personne ne les avait à l'œil avant de se rapprocher un peu.

– J'ai entendu dire qu'il y avait une méthode infaillible.

– Passer un mot à quelqu'un pendant un cours ?

– Se faire choper en train de passer un message à quelqu'un pendant un cours. Ce n'est pas pareil. Et je ne te donnerais pas ce conseil si je pensais que tu te ferais prendre la main dans le sac. Ça ne t'est jamais arrivé ? Rassure-moi !

Trevor tenta de chasser ce triste souvenir de son esprit. Quand il s'était fait repérer en cours de maths alors qu'il éternuait une fiche dans la poubelle.

– Moi ! fit-il, écartant cette idée d'un geste. Pfft. Évidemment que non !

Marty baissa la voix.

– Il y a une autre solution. Arriver en retard au cours.

– C'est tout ? Être en retard ? C'est fastoche.

– On n'a jamais dit que c'était dur de se faire coller.

Trevor haussa les épaules.

– Tu sais de quoi tu parles, j'imagine.

Sur le point de s'éloigner, Marty fit volte-face.

– Hé, tu ne m'as même pas dit pourquoi tu tenais tant à te ramasser une colle !

Trevor songea à lui révéler son super plan pour que Corey lui fiche la paix, mais le temps que toutes ces pensées circulent dans sa tête, Marty avait rejoint un groupe d'élèves en train de jouer à la balle aux prisonniers pour leur montrer comment cibler leur proie à la perfection.

Trevor jeta un coup d'œil à son emploi du temps pour voir quel cours il avait après. Sciences, avec M. Everett.

Il décida que pour la toute première fois de sa vie, il serait en retard. En réalité, ça lui était déjà arrivé le matin même, mais ce serait différent, cette fois-ci... Il allait se faire prendre en flagrant délit, et M. Everett serait obligé de lui remettre cette fiche rose si difficile à obtenir.

Il alla s'adosser à un mur en brique, histoire de se motiver. *Tu en es capable. Rien ne t'empêche d'enfreindre la loi si c'est pour le bien de l'humanité. De ta vie sociale, en tout cas. Tu ne voudrais pas encaisser un autre coup de poing dans le ventre venant de Nancy Polanski, ni boire des Slurpee tout seul dans ton coin le soir de la fête de fin d'études ? Libby serait contrariée. Et tu décevrais ta mère. Elle en a assez des garçons qui ne s'élèvent pas à la hauteur de leur potentiel. Tu ne seras pas comme eux.*

Il inspira à fond, plutôt satisfait de lui-même, jusqu'au moment où il se rendit compte que ce n'était pas une bonne idée de s'automotiver aux abords d'une partie de balle aux prisonniers.

Marty Nelson

En train de jouer
avec un ballon
en caoutchouc contre
un mur en brique

14 h 03

Je n'ai jamais prétendu que je savais viser. Et j'ai fait des excuses à Trevor. Il a juste une petite marque. Il est cool… On est potes tous les deux.

Ce truc que Cindy Applegate m'a expliqué à propos de la méthode pour décrocher une colle. Je ne sais pas trop pourquoi elle m'a raconté ça. Elle a l'air de bien aimer discuter. Quand je l'ai vue faire tourbillonner sa jupe, je me suis dit qu'elle attendait quelque chose de moi. Je n'ai pas arrêté de lui poser des questions, du coup, dans l'espoir de trouver la bonne.

Je ne suis pas sûr d'avoir réussi.

Cindy Applegate

Devant son casier

En train de se mettre
du brillant à lèvres
parfumé au chewing-gum
tout en mâchant
un chewing-gum

14 h 07

Marty n'a pas arrêté de me questionner. Ensuite il est resté planté là à attendre comme un idiot.

Je crois que je lui plais et qu'il a envie de m'inviter à la soirée. C'est pour ça qu'il me cuisine. Il a dû se dire qu'au milieu de cette litanie, il me poserait la Grande question et je dirai oui.

Est-ce que je vais accepter ? Je n'en sais rien. Je ne le connais même pas. Je lui ai dit que je devais y aller, de peur de prendre une colle si j'arrivais en retard au cours, mais c'est un mensonge. La semaine de la rentrée, ils ne comptabilisent pas les retards. Tout le monde le sait.

J'imagine que Trevor, lui aussi, va m'inviter. Je l'ai vu se dandiner nerveusement, tout à l'heure, dans le couloir. Corey aussi va vouloir m'emmener à la fête, je parie. Sinon, pourquoi il aurait demandé à son pote de me porter mon sac ? C'était super gentil de sa part. Et puis il y a les jumeaux. J'ai bien remarqué qu'ils s'étaient disputés toute la journée. Pour déterminer lequel des deux allait me proposer d'aller danser avec lui, ça ne fait aucun doute. Pour quelle autre raison des jumeaux se chamailleraient-ils ?

La journée est presque finie. Quelqu'un ne va pas tarder à me poser la question fatidique, j'en ai la conviction. Je me suis fait trois paquets de chewing-gums aujourd'hui. Je mâche toujours du chewing-gum quand je suis optimiste.

CHAPITRE QUATORZE

TREVOR FIT LES CENT PAS DEVANT LA CLASSE AVANT DE jeter un coup d'œil à l'intérieur. Tous les élèves étaient là, mais toujours pas de M. Everett en vue. Il se remit à arpenter le couloir. Fit semblant de boire de l'eau à la fontaine. Ramassa des détritus invisibles par terre. Redressa même un tableau au mur. Tout était bon pour faire passer le temps en attendant que la cloche retentisse.

Conscient que le moment où il allait être en retard approchait, il avait les paumes moites. De la sueur perlait sur son front et son esprit carburait à cent à l'heure.

Qu'est-ce que je fabrique ? Est-ce que ça vaut la peine, tout ça, rien que pour récolter une colle et que Corey me lâche les baskets ? Mais Molly n'acceptera jamais de venir à la fête avec moi s'il continue à me faire passer pour un loser.

Il vit Molly se diriger vers sa classe. Leurs regards se croisèrent un bref instant, et juste avant de disparaître, elle lui sourit.

Trois, deux, un… Dring !!!

À cet instant, la vie de Trevor bascula. Il ne pourrait plus jamais dire qu'il avait été à l'heure toute sa vie. Une page était tournée.

Il inspira à fond, prêt à accepter les conséquences de sa faute. Il savait qu'il aurait affaire à sa mère ; cela dit, il arrive très souvent que les gens déçus pardonnent et continuent à vous acheter des sucreries.

– Trevor !

M. Everett descendait le couloir à fond de train, suivi de près par Wilson, au pas de course dans des chaussures de marche.

– On a un problème, hurla-t-il.

Trevor tendit la main pour prendre la fiche rose qu'il allait forcément lui remettre.

– Désolé d'être en retard, bredouilla-t-il. C'est embêtant que vous soyez obligé de me coller, mais je comprends.

M. Everett plongea la main dans sa poche, mais au lieu de sortir un bulletin, il en extirpa une poignée de Skittles.

– Voilà où est le problème. Plus de rouges. Terminé.

– Je n'en ai mangé que trois tout à l'heure, je vous promets.

– Il m'en restait exactement quarante-sept. J'ai déjà perdu des tas de choses, mais tous mes Skittles rouges d'un coup, c'est vraiment bizarre.

Trevor tenta d'en revenir à la question qui le préoccupait – celle de sa future vie sociale.

– Et à propos de mon retard ?

– On ne colle personne la semaine de la rentrée, même en cas de retard. Tout le monde le sait.

– Évidemment. Je suis bête.

Trevor entra dans la classe, tête baissée, et se trouva une place. Marty lui avait affirmé que ce serait facile de se faire coller. Pour les autres peut-être, mais pas pour lui, apparemment !

M. Everett capta sans trop de mal l'attention des élèves.

– Il est arrivé quelque chose de terrible. Mes Skittles rouges ont disparu. Alors, pendant que je démantèle cette école, brique par brique, vous allez partir en exploration dans le couloir avec M. Wilson. Il va vous faire un cours sur le bon usage des casiers.

Tout le monde sortit de la salle en maugréant.

Wilson se tenait au milieu du couloir, les mains derrière le dos, le menton dressé, dans une posture irréprochable. Il attendit qu'ils soient rassemblés autour de lui et se racla la gorge.

– Voici la raison pour laquelle je m'adresse à vous aujourd'hui.

Il brandit un objet.

– Vous avez sous les yeux Lefty, mon outil à décoincer les casiers. Ultraperformant. En titanium véritable, commandé directement à l'usine. J'y suis peut-être allé un peu fort en faisant graver mes initiales dessus, mais c'est un spécimen exceptionnel. Lefty vous aidera à ouvrir vos casiers si par malheur ils se retrouvaient bloqués par vos papiers, bouquins et bulletins de colle entassés.

Trevor regarda autour de lui. Tout le monde hochait la tête.

Ça arrive souvent qu'un casier se coince à cause d'un trop-plein de bulletins de colle ? Pourquoi est-ce que j'ai autant de mal à en décrocher un, alors ?

– Un casier coincé ne vous fait peut-être pas peur a priori, poursuivit Wilson, mais en vérité, trois élèves sur quatre vivent cette pénible situation à un moment ou un autre de leur carrière scolaire, auquel cas il est indispensable de recourir à Lefty. Sans lui, cet établissement s'arrêterait net. On ne pourrait plus fonctionner !

Les élèves étaient estomaqués par la passion que l'art de décoincer les casiers semblait inspirer à Wilson. Ils avaient devant eux un homme qui avait trouvé sa vocation !

Trevor, lui, ne fut pas étonné. Comme il s'était lié d'amitié avec le gardien de l'école primaire, il savait que ces gens-là possèdent un équipement fabuleux pour astiquer les sols, et qu'ils connaissent sur le bout des doigts tous les rouages de l'établissement.

Wilson était l'homme de la situation. Il devait savoir ce qui avait été barré en bas de l'affiche.

Wilson

Surveillant occasionnel

Adossé contre son local de rangement, en train de frotter les marques de doigt sur le manche de son outil

14 h 20

Figurez-vous que j'ai été en pourparlers avec *la Gazette des gardiens d'école* pour faire un article. Ça ne s'est jamais concrétisé. Nous avons eu un « désaccord rédactionnel ».

Disons qu'on avait un point de vue divergent sur la formulation. Moi, j'appelle ça un local de rangement. Pas un placard à balais. Ils ont trouvé quelqu'un d'autre pour écrire leur article. Mais oublions le monde de la presse ! Je peux changer des vies ici même, au collège Westside.

Vous voyez, ces gosses n'ont pas l'air de se rendre compte à quel point la posture est importante quand il s'agit d'ouvrir ou fermer un casier. Impossible debie fermer un casier si on n'a pas les épaules en arrière et les pieds fermement ancrés au sol, à la même largeur que les épaules. Sinon, on est bons pour une crise de casiers coincés. Ça prend parfois des proportions épidémiques !

De nos jours, les jeunes sont tout voûtés. Ils n'arrivent pas à se tenir droits. Peut-être à cause de leurs sacs à dos si lourds, parce qu'ils manquent de vitamine C ou qu'ils ont une sale attitude. Le petit avec qui j'ai discuté… Trevor. Je le trouve gentil, mais il a le dos rond. Je ne pense pas qu'il soit en carence de vitamine C. Il se pourrait qu'il soit mal conseillé.

Et toutes ces poubelles qui débordent à la cantine ! La solution, je pense, consisterait à redresser toutes ces colonnes vertébrales. Mais je ne peux pas tout régler à moi tout seul. Une mission à la fois.

Wilson passa le reste de l'heure à leur expliquer comment ouvrir efficacement un casier en ayant la bonne posture. Dès que la cloche sonna, alors que les autres classes se répandaient dans les couloirs, Libby se rapprocha discrètement de Trevor.

– Je sais que je ne suis plus responsable de ta vie sociale, mais il paraît que tu es arrivé en retard au cours.

Trevor était impressionné par la rapidité avec laquelle les rumeurs se propageaient, dans ce collège.

– J'avoue, j'étais en retard.

– Tu es au courant qu'à partir de la semaine prochaine, ça te vaudra une colle ?

– C'est bon, j'ai compris maintenant.

Elle l'observa un long moment.

– Ne me dis pas que tu l'as fait *exprès* pour te prendre une colle ?

Impossible d'être totalement franc avec elle. Elle ne le laisserait jamais mener sa stratégie à bien jusqu'au bout. Elle allait le traîner devant M. Everett à qui elle expliquerait qu'il souffrait du syndrome des jambes sans repos – d'où son retard en cours –, et qu'une colle était une violation de ses droits. Le prof, compatissant, lui donnerait un paquet de Skittles gratis. Plutôt tentant, en fait ! Sauf que ça ne cadrait pas dans son plan. Il devait absolument cacher la vérité à

Libby, en espérant qu'elle lui pardonnerait.

– Moi, faire exprès pour avoir une colle ? N'importe quoi ! J'ai été retenu à cause... d'un tas de détritus... par terre... sur mon chemin.

Elle continua à le fixer, les yeux plissés, et finalement se détendit.

– Bon, d'accord.

Trevor estimait qu'il était temps d'en revenir à l'essentiel.

– Libby ?

– Ouais ?

– Tu disais que tu n'étais plus responsable de ma vie ?

– Tu aimerais que je continue ?

Évidemment, pensa-t-il, ça m'aiderait beaucoup. Quelqu'un pour prendre les décisions à sa place... Un retour à la vie d'avant... Ce serait vraiment pas mal.

En même temps, ce serait peut-être une bonne idée qu'il change. Qu'il arrête de contempler ses cartes fétiches, qu'il cesse de ~~gribouiller~~ dessiner, qu'il devienne copain avec des garçons comme Corey Long... Même s'il n'en avait aucune envie.

Il se redressa de toute sa taille – comme Wilson leur avait appris à le faire – et lança :

– Il faut que je t'avoue la vérité.

– Attends...

Libby tripota sa jupe.

– J'ai un truc à te dire, avant.

Trevor fit la grimace et s'arma de courage.

– Tu te rappelles que je t'ai fixé un délai ?

Elle consulta sa montre.

– Désolée de t'annoncer ça, mais on n'a plus qu'un seul cours. Dans cinquante-quatre minutes, c'est terminé.

Plus qu'un seul cours pour inviter Molly ? Trevor avait le vertige, tout à coup.

Libby le vit prendre appui contre le mur.

– T'inquiète, ajouta-t-elle d'un ton encourageant. Tu n'as qu'à demander à ta voisine, par exemple. C'est simple !

Libby avait de grands projets pour ces cinquante-quatre dernières minutes. Elle avait perdu beaucoup de temps, en fait, car la tâche s'était avérée plus complexe que prévu. Elle s'était débrouillée pour attirer l'attention d'un tas de filles sur Trevor, mais, pour une raison qu'elle ne s'expliquait pas, il les ignorait royalement. Le trac, sans doute.

Cette mission était la plus difficile qu'elle s'était jamais fixée, mais elle avait la certitude qu'elle y arriverait quand même.

Maintenant elle prévoyait de s'asseoir à côté de Jamie Jennison. Au moment où Trevor entrerait dans la classe, elle ferait mine d'être prise d'une migraine. Elle dirait que c'était à cause de l'éclairage fluo au-dessus du bureau du prof et irait s'installer au fond de la classe, où la clarté était moins vive. Comme ça, Trevor pourrait prendre sa place. Il bavarderait avec Jamie, se rendrait compte que l'heure tournait et lui poserait LA question. Elle dirait oui, et toute la vie sociale future de Trevor serait réglée d'un coup de baguette magique. Libby espérait qu'elle rencontrerait aussi peu de difficultés à décrocher sa propre invitation.

– Dis quelque chose, Trevor.

TROUVÉ DANS LE CARNET DE CROQUIS HOLA KITTY DE LIBBY, PLANQUÉ DANS SON CASIER

Il la regarda d'un air morne en se demandant s'il devait l'avertir qu'il avait l'intention d'inviter Molly.

– Ne t'inquiète pas, Lib. D'ici la fin de la journée, j'aurai un rancard.

Elle sourit jusqu'aux oreilles.

Trevor jeta un coup d'œil à son emploi du temps. Le cours d'histoire allait bientôt commencer.

– C'est quoi ton dernier cours ? demanda-t-il.

Libby consulta son propre emploi du temps, comme si elle ne savait pas qu'ils étaient ensemble en histoire.

– Oh ! Histoire.

– Super. On se voit là-bas. Je promets de ne pas m'asseoir à côté de toi ni t'adresser la parole.

Elle lui donna une petite tape sur l'épaule.

– Merci, Trev, dit-elle, le précédant dans le couloir.

Il la suivit en traînant les pieds, la terreur retenant chacun de ses pas. Plus qu'un cours pour décrocher une colle, envoyer promener Corey et inviter Molly à la soirée. C'était beaucoup demander, en cinquante-deux minutes. Ça paraissait même impossible.

Il faudrait un miracle, ce qui n'arrive pas tous les jours. Mais la chance dut se ranger de son côté car ce qui se produisit ensuite fut justement un événement sans précédent…

CHAPITRE QUINZE

En entrant dans la salle, Trevor chercha Molly des yeux. Elle n'était pas là. Comment allait-il tenir son délai ?

Il vit Libby assise au premier rang. Bizarrement, elle se leva tout à coup et s'approcha de lui, une main sur son front.

– Amnésie ? demanda-t-il.

– Mal à la tête, répondit-elle d'une voix faible.

De l'autre main, elle désigna la chaise qu'elle venait de libérer.

– Prends ma place, ajouta-t-elle en lui tapotant le dos.

– D'accord, fit-il à contrecœur.

Il n'aimait pas le premier rang car tout le monde pouvait vous y observer. Mais bon ! En s'asseyant, il eut presque un mouvement de recul. À sa gauche, il y avait Jamie Jennison, la fille qu'il avait prise pour un garçon. Et à sa droite, Jake

Jacobs, le garçon qu'il avait pris pour une fille. Il allait droit vers une humiliation monumentale.

Il était sur le point de supplier Libby de reprendre sa place, quand le miracle se produisit.

L'interphone grésilla.

– Mes chers élèves, j'ai une annonce à vous faire.

C'était Decker.

Wilson

En train de fouiller dans son local de rangement

Visiblement ébranlé

14 h 45

Je suis très ébranlé. Je sais, ça se voit. Selon le code de conduite des gardiens, je suis censé rester calme, même en période de crise.

C'est peut-être une fausse alerte, mais la situation semble critique. LEFTY A DISPARU !

Il ne faudrait pas tirer des conclusions hâtives. Je ne vais tout de même pas convoquer l'ensemble des élèves au gymnase pour les interroger les uns après les autres. Je vais juste revenir sur mes pas.

Je l'ai peut-être rangé dans mon local. À moins que je ne l'aie laissé près d'un casier coincé. Il y a sûrement une explication. Je vais en avoir le cœur net.

– Écoutez, demi-portions, hurla Wilson.

Il avait prié Decker de convoquer tous les élèves d'urgence au gymnase – une mesure exceptionnelle.

Comme il faisait les cent pas devant l'assemblée comme un lion dans un cirque, le principal adjoint s'approcha de lui et lui parla à l'oreille pour qu'on ne puisse pas l'entendre au micro. Sauf qu'on entendait parfaitement.

– Vous ne pouvez pas les traiter de demi-portions.

– D'accord.

Wilson serra le micro plus fort.

– En attendant, un de ces couillons m'a piqué mon outil pour décoincer les casiers !

Tout le monde en resta bouche bée. Même les sixièmes avaient compris qu'on ne plaisantait pas avec les outils du gardien.

Decker se pencha à nouveau vers Wilson.

– Vous ne pouvez pas les traiter comme ça.

Wilson couvrit le micro de sa main.

– Je suis censé être gentil avec eux, c'est ça que vous voulez dire ?

Decker hocha la tête.

Wilson s'éclaircit la voix.

– Oyez, charmants jeunes gens, jolies jeunes filles, il semble qu'une fée ait dérobé mon outil. Votre aide me serait précieuse.

Il sourit, les dents serrées. En réalité, il avait envie de tous les cuisiner, en employant les méthodes approuvées par le Code de conduite des gardiens, jusqu'à ce qu'il ait démasqué le coupable. Cela dit, la liste des techniques d'interrogatoire dudit code était très courte. Il secoua la tête, frustré d'avance par la proposition qu'il s'apprêtait à faire.

– Si on créait une boîte à indices anonymes ?

Il se tourna vers Decker qui hocha énergiquement la tête, enthousiasmé par cette idée à la fois impersonnelle et non agressive.

Trevor était au dernier rang. Au moment où l'assemblée générale avait été convoquée d'urgence, il en avait profité pour se glisser à côté de Molly. En l'apercevant tout en haut des gradins, en train de dessiner, il lui avait fait un petit signe de tête et elle avait fait pareil. C'était un bon début.

Il allait l'inviter à la soirée. Là, tout de suite. Il suffisait de trouver les bons mots. Ça ne pouvait pas être si difficile que ça !

Pendant que Wilson leur expliquait comment lui fournir anonymement des tuyaux sur cette sombre affaire, Trevor se pencha vers sa voisine.

– Je peux te poser une question ?

– Anonyme, ça veut dire que tu n'es pas obligé d'écrire ton nom, répondit-elle sans le regarder.

– Ce n'est pas ce que...

– Écoute, j'ai trouvé cette journée intéressante, genre dix minutes, mais là, y en a marre. Je me barre. Salut, Trevor.

Elle dévala les marches d'un pas allègre et quitta la salle.

On peut se tirer du collège comme ça, avant que la cloche sonne ? Elle n'avait pas peur que Decker l'arrête ? Il n'y avait donc pas de règlement dans son ancienne école ? Trevor n'avait jamais rencontré une fille aussi peu soucieuse de la discipline. Ça la rendait encore plus fascinante, mais, du coup, il ne voyait plus comment l'inviter.

– Encore une chose, lança Decker en s'emparant du micro. Je n'accuse personne, mais si quelqu'un a volé l'outil de M. Wilson... Je ne dis pas que quelqu'un l'a fait, mais si je dois punir un élève... Je ne dis pas que c'est indispensable, surtout s'il s'agit d'une fée, comme Wilson l'a supposé... Enfin, bref, si je me vois dans l'obligation de sanctionner l'élève ou la fée qui a subtilisé Lefty (là, il brandit son tas de fiches roses), c'est la colle assurée !

Trevor revit Molly prenant un bulletin sur le bureau du prof de maths. Elle n'avait pas l'intention de rentrer chez elle, en réalité. Elle allait en colle ! Et c'est là qu'il pourrait lui poser la Grande question !

Il résolut d'enfreindre la règle numéro 2 figurant sur l'affiche – quoi qu'il aurait préféré trouver un autre moyen. Se mettre Wilson à dos, c'était ça, la solution !

Il leva la main bien haut.

Wilson se protégea les yeux de l'éclairage fluo.

– Là-bas au fond. Trevor ? Oui ?

Tout le monde le dévisagea d'un drôle d'air, étonné que le gardien connaisse son prénom le jour de la rentrée.

Sans se laisser démonter par ces regards assassins, Trevor se racla la gorge avant de s'exclamer d'une voix forte :

– C'est moi qui ai pris votre outil.

Sauf que toute cette attention qu'on lui portait le gênait terriblement, si bien que ce n'est pas du tout ce qui sortit de sa bouche. Voilà ce qu'il dit, en réalité :

– ...

Il avait souvent du mal à trouver les mots justes, mais là, il n'était même pas fichu d'en prononcer un seul.

Wilson tapota du bout du doigt sa boucle de ceinture.

– Tu voulais nous dire quelque chose, fiston ?

– Je... je...

Trevor aperçut Libby deux rangées plus loin, les yeux rivés sur lui.

– Je veux bien aider à fabriquer la boîte à indices.

Trevor baissa la tête, honteux de ne pas être allé au bout de sa pensée.

À cet instant, la cloche sonna et les élèves commencèrent à se disperser. La journée était terminée.

La journée était finie, et il n'avait toujours pas de colle !

Il avait loupé le délai et allait devoir se coltiner la déception de Libby, puis une vie sociale horrible et une longue nuit de solitude, avec rien que des Slurpee pour compagnie. Il gagna son casier en traînant les pieds et appuya la tête contre la porte métallique.

C'est alors que Molly le rejoignit.

– Tu voulais me poser une question ?

Avant de lui faire face, il se couvrit le front, sachant qu'il devait avoir une sacrée marque à force d'être resté affalé contre son casier.

– Euh... je, je...

Allez, les mots justes. Venez à moi !

– ... On t'a déjà invitée à la soirée ?

– Ouais.

Trevor déglutit. Qui avait bien pu lui demander ?

– Mais j'ai répondu non.

Ouf ! C'était le moment de se lancer.

– Trevor !

Wilson arriva en trombe et lui fourra une boîte de marqueurs dans la main.

– C'est vraiment sympa de t'être proposé pour la boîte à indices. Il faut qu'on trouve ce petit couillon. Ne dis pas à Decker que j'ai dit ça.

– D'accord.

Quand Trevor se tourna vers Molly, prêt à lui poser la question fatidique, il vit qu'elle en avait profité pour se défiler. Il s'abattit contre son casier, de frustration cette fois-ci.

Wilson lui flanqua une tape sur le dos avant de tourner les talons.

– Tiens-toi droit, petit. Tu as une posture lamentable.

Trevor redressa les épaules. Et... ça marcha ! Probablement grâce à l'afflux d'oxygène le long de sa colonne vertébrale rectifiée, jusque dans son cerveau. Il comprit que Marty avait raison sur un point : ce n'était pas en passant un petit mot à quelqu'un qu'il récolterait une colle, mais en se faisant prendre en *flagrant délit*.

Il s'élança dans le couloir jusqu'à la salle de colle. Il entra et se mit sur le côté de manière à surveiller Mlle Plimp qui marquait les consignes au tableau. Molly était en train de dessiner.

Elle dessinait sans arrêt. La perfection absolue !

Il arracha une page de son carnet et écrivit en grosses lettres :

– *Molly, acceptes-tu de m'accompagner à la soirée ?*

Il relut attentivement mais soudain, le doute l'assaillit. Et si elle refusait ? Si elle était myope et n'arrivait pas à déchiffrer son message de loin ? Si elle ne se souvenait même pas de lui ?

Finalement, il décida de s'en tenir à la version la plus sûre de son plan. Il lui suffisait de se faire prendre sur le fait. Il écoperait d'une colle, il s'assiérait à côté de Molly et l'inviterait de vive voix. Mieux valait jouer la carte de la prudence.

Il retourna sa feuille et écrivit un autre message en grosses lettres.

Je m'appelle Trevor Jones. C'est moi qui ai écrit ce mot.

Au moment où Mlle Plimp se retournait, il ancra ses pieds au sol – dans une posture voisine de celle appropriée pour ouvrir un casier – et brandit son papier. Puis il fit la grimace, prêt à encaisser les conséquences.

En l'apercevant, Mlle Plimp inclina la tête de côté, plissa les yeux et laissa échapper un gros soupir. Un signe de déception manifeste qui ne manquerait pas de se solder par une fiche rose.

Trevor maintint résolument sa position en levant sa feuille encore plus haut. Mlle Plimp fit trois pas dans sa direction et mit ses mains sur ses hanches.

– Trevor Jones !

Tous les collés relevèrent les yeux. Y compris Molly.

Pourquoi n'ai-je pas pensé à ça plus tôt ? C'est si facile !

– Ferme cette porte, Trevor !

– Mais vous avez vu que...

– Il y a un courant d'air !

Sans attendre qu'il obéisse, elle se dirigea vers la porte.

En jetant un coup d'œil à sa feuille, Trevor se sentit rougir. Il s'était trompé de côté !

Oh, non ! Ne me dites pas que tout le monde a vu mon mot destiné à Molly !

Avant que le battant se ferme en grinçant lamentablement, il croisa le regard de Molly. À la dernière seconde, il la vit brandir un message à son intention. Sur lequel elle avait écrit un seul mot, en très grosses lettres, avec un point d'exclamation et tout.

CHAPITRE SEIZE

TREVOR SAUTA DANS LE BUS JUSTE À TEMPS ET FUT pris d'angoisse en le voyant plein à craquer. Il se souvenait du trajet désastreux du matin, quand il s'était assis sur le pied d'un cinquième.

– Trevor !

Il aperçut une main, au fond, qui lui faisait signe. C'était Libby. Elle lui avait gardé une place et acceptait de se mettre à côté de lui devant tout le monde. Elle voulait un rapport complet, c'était ça ?

Mieux valait tout lui raconter en fin de compte. Que Corey était un monstre qui cherchait à ruiner sa réputation. Et que ses chances de se faire un nouvel ami étaient pour ainsi dire nulles tant que ce gars-là respirerait sur cette planète. Il s'était quand même débrouillé pour se trouver une partenaire, ce qui méritait une récompense, voire une standing ovation.

Après s'être glissé sur le siège à côté de Libby, cependant, il se rendit compte qu'elle était très énervée.

Il n'était plus si sûr que ce soit le moment de lui parler, mais comme ce n'était jamais le cas, il lâcha tout d'une traite :

– J'ai trouvé une fille pour la soirée, mais je suis à peu près sûr que Corey Long veut ma peau. Du coup, je ne suis pas convaincu que cette histoire de nouveau copain va marcher...

– Tu as trouvé une fille ?

– Ouais.

Elle lâcha ses mèches et joignit les mains.

– Pour la soirée, c'est bien ça ?

Elle n'en croyait pas ses oreilles. En dépit de la catastrophe qui s'était produite – Wilson convoquant tout le monde en réunion d'urgence, contrecarrant ses plans –, Trevor avait quand même réussi à demander à Jamie ? Impressionnant !

– Oui, Libby. Molly a écrit « oui » en grosses lettres et c'était à moi qu'elle s'adressait.

Quoi ?

– Attends. Tu parles de Molly ? La nouvelle ?

Il était aussi sidéré qu'elle que Molly ait accepté.

À cause de la carte de base-ball peut-être ? Ou parce qu'il avait passé la journée à se ridiculiser ? Molly avait peut-être été prise de court, après tout. Peu importait la raison. Au final, il avait respecté le délai.

Libby tripotait l'ourlet de sa jupe tout en digérant cette information ahurissante. Comment Trevor avait-il pu foirer à

ce point ? Molly ! Elle lui avait expliqué très clairement, pourtant, comment dénicher une partenaire *cool*. Une fille gentille, bien habillée, avec de la personnalité, qui améliorerait ses chances d'avoir des rancards encore plus cool plus tard. Pas de se retrouver dans un pénitencier !

Tout était de sa faute, en fait. Elle aurait dû lui préciser : pas une fille abonnée aux colles qui met des habits tout déchirés. Même s'ils n'étaient plus amis amis, ils n'en restaient pas moins amis. Elle devait l'encourager.

– Molly… C'est génial. Très bon choix. Elle est énigmatique, bariolée. Je ne vois pas ce qu'on pourrait lui reprocher. Ça la rend super… intéressante.

Trevor remarqua que Libby employait tout à coup des mots compliqués. Qu'est-ce qui pouvait bien la rendre aussi loquace ?

Ce babillage lui laissa penser qu'elle cherchait à éluder le problème qui la tracassait. Et cette nervosité extrême ne pouvait avoir qu'une seule explication…

– Un des jumeaux t'aurait-il invitée ?

– Non.

– Jason ? Jake ?

Elle regarda par la fenêtre.

– Non.

Trevor ne savait pas trop qui suggérer d'autre.

– Marty ?

– Non. Il a invité Cindy.

Drôle de couple, pensa Trevor. Soudain il comprit pourquoi Libby n'arrêtait pas de blablater. Personne ne l'avait invitée.

– Je suis désolé, Lib. Je ne peux pas croire que personne ne te l'ait proposé.

– Oh, mais si. On m'a invitée, juste avant la fin du cours.

– Ah, bon ! Qui ça ?

Elle afficha un grand sourire qu'elle avait réprimé avec difficulté jusque-là. Elle avait toujours su que sa jupe en jean serait un sérieux atout, mais elle n'avait pas osé rêver un rancard aussi génial.

– Corey !! explosa-t-elle.

Trevor en resta bouche bée.

– Corey ? On parle bien de Corey Long, c'est ça ?

Ses traits se crispèrent.

– Et alors ? Où est le problème ?

– Tu es sûre d'avoir pris la bonne décision ? Tu avais plein d'autres possibilités, non ?

– C'est toi qui m'as l'air d'avoir des préjugés maintenant.

Et pour cause ! Corey Long voulait sa peau ! C'était le pire choix de toute l'histoire des rancards. Mais Libby s'était donné tellement de mal, en mettant une jupe repassée et tout ça. Il n'allait pas tout gâcher, même si ça le chamboulait. Il était son ami et devait l'... encourager.

Il fixa ses genoux, incapable de la regarder.

– Pas de souci. Corey ? Super choix. C'est un cinquième, il est plus vieux que moi... Plus relax aussi... En plus, je vais bientôt être copain avec lui.

– Cool, fit-elle, consciente de ne pas pouvoir lui révéler ce qu'elle pensait vraiment de Molly.

– Ouais, cool, renchérit Trevor, sachant qu'il ne pouvait pas lui donner son avis sur Corey.

Libby se tourna vers la fenêtre et Trevor appuya la tête contre son dossier. Ils n'échangèrent plus un mot jusqu'à la fin du trajet.

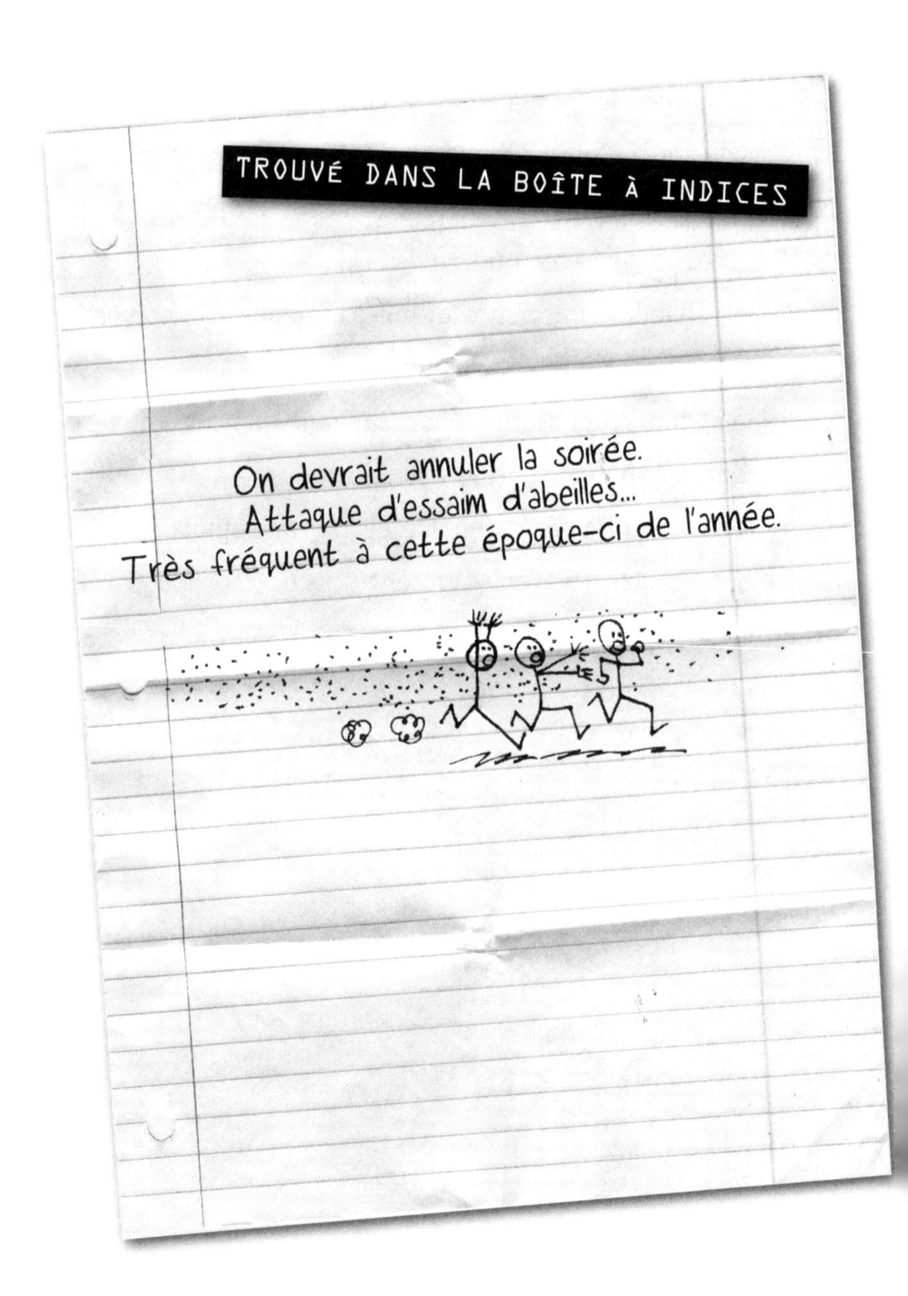
TROUVÉ DANS LA BOÎTE À INDICES
On devrait annuler la soirée.
Attaque d'essaim d'abeilles...
Très fréquent à cette époque-ci de l'année.

Trevor Jones

Marchant seul
sur le trottoir

15 h 40

Corey, un super choix ! Je lui ai vraiment dit ça ? Ce type fait tout pour m'estropier et c'est lui qui va accompagner ma meilleure amie à la soirée ?

Je devrais lui dire la vérité. Corey n'est pas n'importe quelle canaille. C'est le Big Mac de la canaille. Elle ne peut pas y aller avec lui ! C'est juste impossible.

Je suis sûr que si je m'y prends bien, au bon moment, avec la température et l'éclairage adéquats, Libby m'écoutera.

Je lui apporterai de quoi grignoter. La sauce Ranch la met toujours de bonne humeur.

WESTSIDE
COLLEGE

DEUX JOURS PLUS TARD

Trevor Jones

Au bout de son allée, les mains enfoncées dans les poches

7 h 52

Je ne cherche pas à me disculper, mais il faisait une température étouffante dans la pièce. Et cet éclairage aveuglant… Horrible pour annoncer une mauvaise nouvelle à quelqu'un.

Je vais lui parler de Corey, je le jure. Aujourd'hui même.

CHAPITRE DIX-SEPT

TREVOR NE TINT PAS PROMESSE. IL ATTENDAIT UN SIGNE positif qui ne vint pas, et la conversation n'eut jamais lieu. Il estimait ne pas avoir le charisme nécessaire pour se lancer dans une discussion pareille sans prendre le risque de mettre Libby en colère au point qu'elle appelle sa mère.

Il préféra miser sur l'espoir. Si seulement elle arrivait à se rendre compte par elle-même que Corey était un salaud digne d'une médaille d'or aux jeux Olympiques ! Elle trouverait sûrement quelqu'un d'autre pour l'accompagner à la soirée. Pourvu qu'à la fin ce ne soit pas lui qui passe pour un salaud !

Aussi les choses s'arrêtèrent là.

D'autant plus qu'il devait s'occuper de trouver un nouveau copain, ainsi que la formule appropriée pour parler à Molly. Il n'était pas sûr d'en être capable, mais c'était essentiel. Il fallait qu'il sache à quelle heure ils se retrouveraient, ce qu'il devait se mettre sur le dos, et surtout... si elle comptait lui rendre sa carte fétiche !

Marty eut la bonne idée de le prendre à part dans son « bureau » pour lui donner une autre « leçon ».

Marty allait et venait sur le lino.

– Écris-lui un autre message mais sers-toi de la méthode de la boîte à Kleenex, cette fois-ci.

– La boîte à Kleenex ? Je ne peux pas juste glisser une feuille sur son bureau ?

– On est au collège, mon pote. Faut savoir être discret.

– Alors je ne dois pas éternuer ?

Marty ignora sa question. Ils étaient un peu pressés. On leur laissait à peine cinq minutes entre les cours pour aller aux toilettes. Marty trouvait d'ailleurs que ça s'apparentait à un mauvais traitement. Certaines choses, dans la vie, nécessitent du temps. Mais il s'était entraîné, comme il avait entraîné son labrador à n'aller aux toilettes qu'à certains moments de la journée (avant et après les cours). Ça lui permettait d'employer ces cinq fameuses minutes à des activités plus sérieuses – comme enseigner l'art de passer des messages.

Il suggéra à Trevor de dessiner un diagramme de son plan infaillible dans son carnet.

– Tu commences par attirer l'attention de la fille. Ensuite, tu fais semblant d'éternuer, plusieurs fois pour que ça ait l'air authentique, et tu vas chercher un Kleenex. Pendant que tu te mouches, tu glisses ton petit mot dans la boîte. La fille fait mine d'éternuer juste après toi, et elle récupère le message en prenant le mouchoir suivant. Les flics des *Experts : Miami* eux-mêmes n'y verraient que du feu !

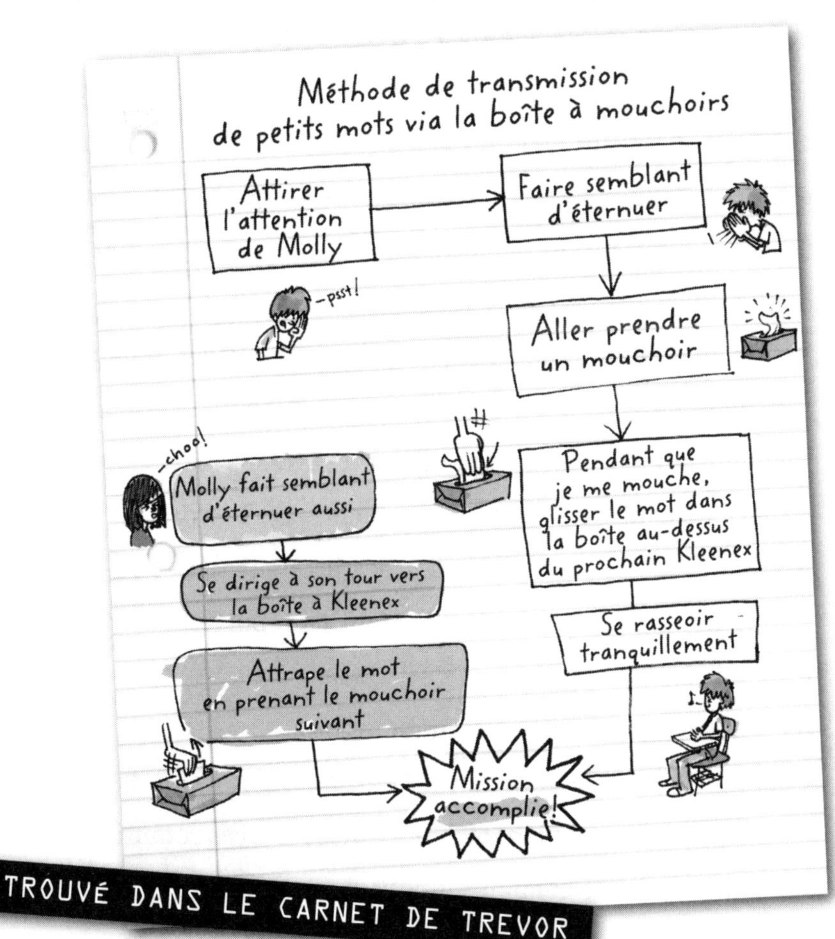

Trevor avait écouté ses instructions avec beaucoup d'attention. Il n'avait plus le droit à l'erreur. Le lendemain, en classe, il tapota sur l'épaule de Molly, fit semblant d'éternuer trois fois, puis se précipita sur la boîte de Kleenex où il glissa son petit mot avant de se moucher bruyamment.

Il ne pouvait pas prévoir que Jake Jacobs souffrait d'une allergie au pollen d'ambroisie. Avec un déplorable sens du timing, Jake émit trois atchoum on ne peut plus authentiques et se rua sur la boîte. Trevor tenta d'arrêter son geste, mais Jack avait un colossal problème de goutte au nez. Il écarta la main qui le gênait pour arracher un mouchoir. Et le mot avec.

Tout en se mouchant d'une main, il déplia le papier de l'autre, le parcourut et leva les yeux sur Trevor. Ils se dévisagèrent, aussi mal à l'aise l'un que l'autre.

Jake n'avait pas du tout apprécié que Trevor l'ait pris pour une fille le jour de la rentrée. Il tenait sa vengeance. Il jeta un coup d'œil vers Molly avant de reporter son attention sur lui.

– Je vais lui remettre en main propre.

Trevor hocha la tête, un peu étonné. Pourquoi Jack se montrait-il aussi conciliant ? Il avait peut-être compris que l'erreur qu'il avait commise le jour de la rentrée n'était que ça : une erreur. Tout le monde avait le droit d'en faire une ou deux, non ?

– Merci, répondit-il, reconnaissant.

Jake se dirigea vers Molly avec un air important en faisant grincer ses Vans sur le lino. Mais au lieu de s'arrêter à sa table, il continua son chemin jusqu'à l'autre bout de la salle où il se planta devant… Nancy Polanski. Qui lui prit le mot des mains, tout excitée.

Elle le lut une fois, puis une deuxième, avant de dévisager Trevor.

Quand elle lui sourit, il éternua – pour de vrai. Comme s'il était en train de développer une allergie à l'humiliation publique.

Il regagna sa place et se laissa tomber sur sa chaise. Là, il jeta un coup d'œil à Molly, occupée à composer un nouveau motif sur son sac en lambeaux avec des épingles à nourrice. Pourquoi est-ce que je me donne tant de mal ? gémit-il intérieurement.

Il entendit Nancy demander la permission d'aller aux toilettes. En un clin d'œil, elle avait disparu.

Un problème de moins. Pour le moment, en tout cas.

– Tu ferais bien d'aller à l'infirmerie, Trevor, suggéra M. Everett qui s'était approché de sa table.

– Que... comment ?

– Tous ces éternuements. Il ne faudrait pas que tu contamines les autres.

– Mais Jake...

Trevor désigna son camarade, qui brandit son flacon d'Allegra.

– Une allergie, expliqua M. Everett. Il a son médicament. Mais toi, j'aimerais vraiment que tu consultes l'infirmière.

Et s'il croisait Nancy ?

– Je dois aller au bout du couloir, vous voulez dire ?

M. Everett haussa un sourcil.

– Je ne vois pas comment tu pourrais faire autrement. Nous ne disposons pas encore d'un toboggan.

Trevor sortit de la classe à pas lents. En tournant à l'angle, il baissa la tête. Personne à l'horizon. En dehors du bruit de ses semelles qui résonnait entre les murs, il n'entendait qu'un léger brouhaha derrière des portes closes.

Il franchit le coin suivant sans tomber sur Nancy et aperçut les lumières blafardes de l'infirmerie. En s'en approchant, il fit semblant d'éternuer encore une fois dans l'espoir que l'infirmière le garderait jusqu'à la fin du cours. Il avait trop honte. Et avec un mot pareil entre les mains de Nancy, il pouvait être sûr de se prendre un méga coup de poing dans le ventre !

Malheureusement, Nancy se trouvait à l'infirmerie en train d'avaler son complément de vitamine D qu'elle devait prendre trois fois par jour avec un verre d'eau. Sa mère redoutait qu'elle n'en manque faute de soleil, vu le temps qu'elle passait en salle de gym. Elle portait son sweat-shirt de l'équipe de compétition de gymnastique, en velours bordeaux, son préféré. Celui qui lui conférait ses pouvoirs surnaturels.

Lorsqu'ils se croisèrent sur le seuil, évidemment, Nancy lui balança un petit coup rapide dans l'estomac. Elle avait l'air contente d'elle, en plus.

– J'étais sûre que tu apprécierais.

Nancy était convaincue que, même s'ils n'étaient pas prêts de l'admettre, les garçons adoraient se faire chahuter par une fille mignonne et sportive.

– On se donne rendez-vous avant la soirée. Six heures, ça te va ?

Les bras croisés sur son ventre, Trevor maudit l'imbécile qui avait lancé la rumeur selon laquelle les mecs appréciaient de subir les assauts de filles musclées. De n'importe quelle fille, en fait.

Comme il ne voulait pas continuer à prendre des coups pour de mauvaises raisons, il décida de lui dire la vérité.

– Mon message n'était pas pour toi.

Le teint de Nancy vira au rouge, presque aussi foncé que son sweat-shirt.

– Pourquoi as-tu chargé Jack de me le donner, alors ?

– Il a fait ça pour plaisanter, ou se venger, je n'en sais rien. J'essaie de me trouver de nouveaux amis mais ça ne marche pas comme je veux.

Nancy secoua la tête et, après s'être assurée que l'infirmière avait le dos tourné, elle lui flanqua à nouveau son poing dans l'estomac.

– Pourquoi t'as fait ça ? gémit-il, plié en deux.

– C'est ce que je fais aux abrutis.

Manifestement elle utilisait la même tactique avec les garçons qu'elle aimait bien qu'avec ceux qu'elle n'aimait pas. Et ça semblait lui faire du bien. Elle retourna en classe en trottinant joyeusement, sa queue-de-cheval se balançant dans son dos. Trevor n'avait jamais vu une queue-de-cheval aussi arrogante.

TROUVÉ DANS LE CARNET DE TREVOR

Trevor Jones

À l'infirmerie

Avec un pack de glace sur le ventre

10 h 20

Ça devient ridicule.

Libby m'avait pourtant dit que pour m'en sortir, au collège, il suffisait que j'érafle suffisamment mes chaussures et que j'évite de parler de mes cartes de base-ball.

Il faudrait peut-être que je racle un peu plus mes baskets. C'est peut-être ça, mon problème.

CHAPITRE DIX-HUIT

APRÈS AVOIR ÉRAFLÉ CONSCIENCIEUSEMENT SES chaussures sans remarquer de changement notable dans sa vie sociale, Trevor décida que se faire de nouveaux copains était sûrement un super hobby, mais pour les autres. Tous les efforts qu'il déployait pour être sympa se soldaient par un vol plané ou des coups de poing dans le ventre.

Il passa la récréation à écouter les frères Baker se disputer. Et le reste de la pause à parler de techniques de survie avec Marty.

En revanche, il ne prit pas la peine d'informer Libby de ce qu'il pensait de Corey.

Il ne s'en sortait pas si bien au collège, en fin de compte, mais sa vie était assez agitée comme ça. À quoi bon se faire de nouveaux copains ? Il lui suffisait de rester à l'écart du sourire diabolique de Corey Long et de son pied, et tout irait bien.

Il avait réussi à l'éviter pendant plusieurs jours, et c'était loin d'être facile. Mais la chance finit par l'abandonner. En sortant de classe, il le vit dans le couloir en train de tambouriner sur l'agenda d'un copain, une bande de filles impressionnées autour de lui. Or, Trevor était forcé de passer par là pour aller à son prochain cours. Impossible de le contourner.

Quand leurs regards se croisèrent, Trevor sentit son sang se glacer dans ses veines et devint blême. Il n'arriverait jamais à passer à côté de Corey sans se donner en spectacle d'une manière ou d'une autre. Il était coincé. Il implora le ciel, dans l'espoir qu'il déclenche… une tornade, peut-être ?

C'est Molly qui lui vint en aide. En déboulant derrière lui, elle comprit d'un coup d'œil la situation. Ce n'était pas la première fois qu'elle assistait à ce genre de scène. Dans les différents établissements qu'elle avait fréquentés, elle avait rencontré toutes sortes d'élèves et en était arrivée à la conclusion suivante : il se trouve toujours un Corey Long parmi eux. Le type qui dupe les profs et les filles naïves et qui tourmente ses camarades sans jamais se faire pincer.

– Suis-moi, chuchota-t-elle à l'oreille de Trevor.

Elle était sûre qu'il serait en sécurité avec elle, car s'il y avait une chose que Corey ne supportait pas – encore moins que les mèches qui refusaient de tenir en place –, c'était qu'une fille ne soit pas en adoration devant lui. Et il savait pertinemment que Molly ne pouvait pas le blairer. Chaque fois qu'elle apparaissait, il se volatilisait.

Trevor sentit la main de Molly se poser doucement sur son coude.

– Reste bien près de moi.

Il était sur le point de passer, la tête droite, à côté de Corey, quand une pensée lui traversa l'esprit : Molly lui tenait le coude.

Trevor Jones

Dans le couloir, très agité

11 h 22

Vous avez vu ça ? Elle est restée scotchée à moi quand on a contourné Corey. Elle cherche à le rendre jaloux. En se servant de moi !

On va aller à la soirée ensemble, et en plus j'ai l'impression que je lui plais VRAIMENT. Cette fête va être fabuleuse, en définitive.

Il faut absolument que je sache comment on est censés s'habiller.

À l'instant où Trevor et Molly arrivèrent à la hauteur de Corey, celui-ci rangea ses baguettes dans sa poche et se fondit dans la foule.

À partir de ce jour-là, chaque fois que Corey regardait Trevor d'un sale œil, Molly apparaissait et Corey fichait le camp. Un peu comme si Trevor était Superman, et Molly sa kryptonite.

Trevor ne comprenait pas pourquoi ça marchait. La seule chose importante, c'est que Corey avait cessé de le chercher et que Molly lui touchait le coude de temps en temps.

Mais cette accalmie fut de courte durée. Libby fut nommée responsable du comité d'organisation de la soirée, et ce fut la Berezina.

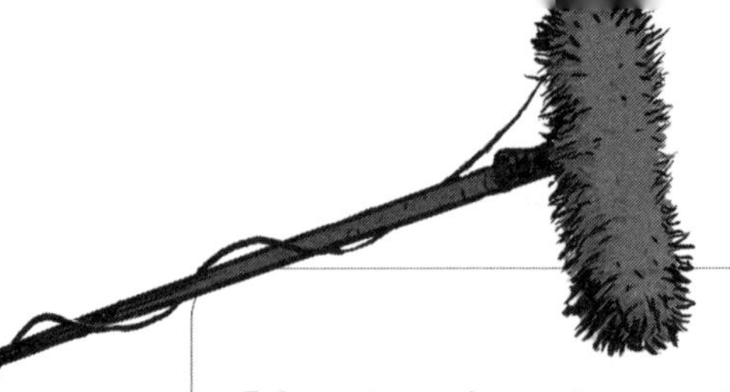

Cindy Applegate

Devant son casier, en train de ranger ses tubes de rouge à lèvres sur l'étagère pour la énième fois

13 h 48

C'est une arnaque. De la corruption ! Je ne vais pas vous mentir. Même le chewing-gum n'a pas bon goût quand on vient d'apprendre un truc pareil. Pourquoi ces tubes de rouge à lèvres refusent-ils de tenir debout ?

Ce n'est pas ça, l'horrible nouvelle. Je vous explique… Libby a été nommée responsable du comité d'organisation de la fête. Vous avez bien entendu : LIBBY. Pas moi. Je suis NÉE pour occuper ce poste. Je suis la seule à avoir une carte de fidélité VIP chez Super Fiesta. Ils ne la donnent pas à n'importe qui, croyez-moi ! Il faut leur acheter des caisses de serviettes à thème pour en mériter une.

Je reconnais que Libby est méticuleuse et qu'elle a sauvé le club des élèves à l'époque où j'étais trésorière, en CM2, et que mon idée de collecter des fonds en lavant des voitures avait tourné à la catastrophe. Ce n'était pas marqué « sels de bain » sur le flacon, je le jure. Juste « savon ». En attendant, le 4 x 4 du maire était drôlement mignon avec toutes ces bulles de savon roses. Personne ne dira le contraire. Et, d'accord, c'était super sympa de la part de Libby de s'accuser et de faire ce travail d'intérêt général pour la mairie à ma place, mais je n'ai pas compris qu'on en fasse tout un plat. Tout le monde aime les jolies petites bulles roses sur les voitures, non ?

Libby a INTÉRÊT à assurer. Hors de question que j'aille à une fête sur le thème des vers de terre, ou de je ne sais quelle autre idée saugrenue qu'elle aura concoctée. Je suis sûre qu'elle n'a même pas pensé à prévoir des chewing-gums.

Je vous le dis, cette nomination est une arnaque totale !

Libby Gardner

Devant son casier, en train de réorganiser ses livres sur l'étagère pour la énième fois

13 h 55

Elle dit que je vais choisir le ver de terre comme thème pour la soirée ?

Moi, au moins je ne mets pas les doigts sur l'étiquette quand j'utilise un flacon de sels de bain moussant Flamant rose tropique. J'ai dû repeindre tous les bancs des parcs de la ville à cause d'elle. C'est vrai qu'ils avaient besoin d'être rafraîchis, je n'étais pas contre, mais tout de même.

Cette soirée va être géniale. Je vais me lâcher ! Rien que des couleurs gaies. C'est le projet le plus cool que j'aie jamais eu, et ça fait de moi la favorite pour les élections de délégués, non ? Et voilà ! D'une pierre deux coups.

Bien gérer son temps. Tout le secret est là.

CHAPITRE DIX-NEUF

QUELQUES JOURS AVANT LE BAL, LE COMITÉ d'organisation se réunit au gymnase à la fin de la journée de cours. Le sol était jonché de décorations, et Libby avait épinglé une liste de tâches au mur – une très longue liste. Bien qu'occupé à séparer les cuillers des fourchettes, Trevor la suivait des yeux tandis qu'elle volait d'un bout à l'autre de la salle afin de s'assurer que tout le monde faisait correctement son travail.

– Ça t'excite, cette soirée, hein ? fit-il quand elle passa à côté de lui en coup de vent.

– Je veux que tout soit parfait, répondit-elle, mais elle fut aussitôt distraite par quelque chose qu'elle avait vu dans le couloir à travers le hublot de la porte.

Trevor suivit son regard jusqu'à Corey. Il ne participait aux préparatifs. Il n'était même pas dans le gymnase, mais vautré contre le mur dans le couloir, en train de rectifier sa mèche.

Trevor se rendit compte que c'était le moment idéal pour annoncer à Libby la mauvaise nouvelle.

– Il faut que je te parle de Corey, Libby.

– Passe-moi cette guirlande.

– Laquelle ? L'orange foncé ou l'orange brûlé ?

– L'orange brûlé.

– Je croyais que tu voulais des couleurs gaies, répondit-il en faisant la grimace. Normalement, les filles aiment le rose, le violet, les couleurs qui pètent. Ce sont des couleurs de terre, ça, précisa-t-il.

Elle secoua la tête.

– Pas du tout. C'est gai, l'orange.

– Ça me fait penser aux paysages de certains déserts !

Elle soupira.

– Dis-moi juste ce que tu voulais me dire sur Corey.

– C'est à propos du jour…

– Quel jour, Trev ? Il y en a eu plein.

– Le jour de la rentrée, quand il a prétendu qu'il m'avait aidé… Ce n'était pas vrai.

Elle mit une main sur sa hanche, ce qui n'était pas bon signe. Il serra la guirlande orange désert dans sa main.

– Il m'a tendu un piège pour que je me retrouve dans les toilettes des profs et quand j'en suis ressorti, il m'a fait une balayette.

– Pas exprès, j'en suis sûre.

– Exprès il a fait.

Sous le coup de la nervosité, Trevor s'était remis à parler en mode Yoda.

– Les gens se perdent sans arrêt dans les couloirs, Trevor. Je ne sais toujours pas où se trouve le secrétariat. Tu as peut-être trébuché sur son pied. Ça arrive plus souvent qu'on le croit.

Libby retourna à ses préparatifs sans lui laisser le temps de s'expliquer.

– Apportez-moi ces ballons. Il faut qu'on nettoie par terre et qu'on améliore l'éclairage.

Elle tapa dans ses mains.

– Lumières d'ambiance, les gars ! Il ne reste plus que cinquante heures et trente-trois minutes avant la soirée !

Trevor lui tourna le dos, vexé qu'elle refuse de l'écouter. Il tentait de se concentrer sur le comptage des couverts quand elle bondit à nouveau près de lui.

Elle avait une dernière chose à lui dire.

– Sérieux, Corey est un mec sympa, déclara-t-elle. Il m'appelle tout le temps et on fait nos devoirs de maths ensemble. Je crois qu'il se passe quelque chose entre nous. Tu ne vas pas tout gâcher. Je te promets de ne pas dévaloriser Molly. De ne dire à personne qu'elle attire les problèmes, qu'elle pique des trucs aux autres et qu'elle raffole de la colle Cléopâtre. Je ne te ferais jamais un coup pareil ! Alors sois cool, Trevor, et va chercher des fourchettes en plastique dans le local de Wilson.

– Le placard à balais, tu veux dire ?

– Ne sois pas grossier.

Il fonça, tête baissée, vers le local de rangement au bout du couloir, où Corey Long était en train de saccager le texte de l'affiche de la soirée avec un marqueur noir. Trevor envisagea d'aller chercher Libby pour qu'elle voie de quoi il était capable, mais elle était occupée à replier gaiement les serviettes que Cindy venait juste de disposer sur le buffet. Il n'allait pas lui casser le moral alors qu'elle était d'aussi bonne humeur.

En attendant, il fallait quand même qu'il atteigne le local. Il regarda autour de lui. Où était passée Molly ? Ne devait-elle pas aider pour l'éclairage d'ambiance, et lui servir de kryptonite contre Corey ?

Elle est en retard, c'est tout, se dit-il. Elle va venir. Elle vient toujours.

N'oubliez pas de chercher un(e) partenaire pour
LA SOIRÉE D'AUTOMNE !
Prouvez que
n'êtes pas
une pouille mouillée
. Invitez
un
zombie
!

Molly

En route pour la salle de colle, un petit sourire sur les lèvres

15 h 05

PAS QUESTION que je participe à l'organisation de cette soirée.

Il ne faut même pas y penser !

Les colles, c'est nettement plus intéressant comme activité extrascolaire. En plus, il paraît que le thème est « carottes et vers de terre ». Quelque chose comme ça. C'est Cindy Applegate qui me l'a dit. Je ne fais pas confiance à ses sources, mais même si ce n'est qu'en partie vrai, il va falloir que je trouve un moyen de rendre cette soirée VAGUEMENT sympa.

Après avoir attendu quelques minutes que Molly apparaisse, Trevor se rendit compte qu'il allait devoir se mettre en quête de ces fichues fourchettes tout seul.

Voyant Corey accaparé par sa mèche rebelle, il s'engagea dans le couloir à pas de loup, comme quand on descend regarder ses cadeaux de Noël au milieu de la nuit, et se glissa discrètement dans le local.

J'ai réussi, s'étonna-t-il. Et sans l'aide de Molly ! Ce n'était pas si difficile que ça, en fait !

Tout était rangé à la perfection. Libby devrait voir ça, pensa-t-il, admirant la méticulosité de Wilson. En entendant les voix de Corey et de ses acolytes se rapprocher, il jeta un rapide coup d'œil dans le couloir.

– Regardez-moi ce décor à la noix, lança Corey en avançant vers le local tout en regardant par le hublot de la porte du gymnase.

– Il paraît qu'ils vont servir des légumes crus comme amuse-gueules, précisa un de ses copains. T'as entendu ce que je t'ai dit ? Crus, mec ! Il faut l'arrêter cette fille !

Tornade intervint à son tour :

– Pourquoi est-ce que tu t'es branché sur elle, d'abord ?

– J'étais bien obligé. Nicole est la seule fille que je connaisse capable de résoudre mes problèmes en algèbre. Elle fait tous mes devoirs. J'arriverais peut-être même à lui soutirer une rédac d'histoire. Je n'ai qu'à aller à la soirée avec elle, et je suis sûr d'avoir des bonnes notes.

– Mais quand même, des légumes crus… Franchement !

– Je vais arranger ça. Elle fera ce que je lui demande. T'inquiète.

Trevor serra les poings. Il se servait d'elle ? Il n'arrivait même pas à se rappeler son prénom !

Au moment où ils passaient devant le local, Trevor vit le pied de Corey – qu'il aurait été capable de reconnaître entre mille – flanquer un coup dans le battant.

Click.

Il secoua la poignée. Encore et encore, mais en vain. Il était enfermé. Piégé ! Plusieurs minutes s'écoulèrent. Comment sortir de là ? Il n'avait qu'un seul outil à disposition : son stylo porte-bonheur.

Personne n'allait venir le libérer, et pas question qu'il se mette à hurler. Il préférait passer la nuit là-dedans plutôt que d'appeler ce débile de Corey à l'aide.

Trevor n'avait jamais aimé le camping. Il préférait dormir dans son lit, sous sa couette en plumes doublée de fourrure d'élan, plutôt qu'à la belle étoile. Il était trop attaché à son confort.

Il attendit que Corey et ses copains se soient éloignés avant de chercher une solution pour s'échapper.

Il tâtonna le long du mur jusqu'à ce qu'il trouve l'interrupteur et alluma.

Un balai à serpillière... Du produit pour les vitres...

GRIBOUILLÉ PAR TERRE
DANS LE ~~PLACARD À BALAIS~~
LOCAL DE RANGEMENT
Serviettes
FOURCHETTES EN PLASTIQUE
Si je meurs là-dedans, dites à ma mère que je l'aime. Oh, et il faut que quelqu'un récupère la carte Johnny Bench 1973 que j'ai passée à Molly.

Des fourchettes en plastique... Un téléphone cellulaire d'urgence...

Mais comment sortir de là ?

C'est alors qu'il la repéra. Exactement ce qu'il lui fallait...

Une canette de fromage en spray !

Wilson

Dans son local
de rangement, en train
de remettre de l'ordre

16 h 15

Eh bien oui, c'est moi qui ai libéré Trevor. Il a eu de la chance parce que tout le monde était parti – y compris le principal adjoint, Decker, qui n'aurait pas été content d'apprendre qu'une petite fripouille avait tapé dans mes réserves d'en-cas.

Trevor a trouvé mon stock secret de fromage en bombe ! C'est la seule chose qui me fait supporter les lessivages du sol le vendredi après-midi. Mais ce n'était pas une bonne idée d'en gicler sous la porte pour écrire « Help ». Quelqu'un aurait pu glisser. Il aurait mieux fait de se servir du téléphone cellulaire. Moins salissant.

Je n'ai pas l'intention de le coller. J'ai un meilleur plan.

LOCAL DE RANGEMENT
PAS UN PLACARD
À BALAIS

NE SOYEZ PAS
GROSSIERS !
WILSON

Trevor Jones

En train d'astiquer le sol dans le local de Wilson

16 h 17

Libby va être furieuse quand elle connaîtra la raison pour laquelle Corey l'a invitée à la soirée.

Je vais le lui dire, évidemment. Je ne vois pas comment je pourrais faire autrement.

Elle a refusé de croire qu'il m'avait fait une balayette, mais cette fois-ci, elle va m'écouter, c'est SÛR.

Sauf que je ne sais pas trop comment lâcher le morceau.

Wilson va me faire récurer les couloirs, demain. Un rêve devenu réalité, en quelque sorte ! Vous vous êtes déjà servis d'un balai à serpillière ?

Comment vous dire ? C'est comme regarder à la suite *Alien Star Invaders 2 : l'Invasion*, puis *Body Invasion 3 : Le Retour de l'alien…*

C'est génial !!!

WESTSIDE
COLLEGE

LE LENDEMAIN

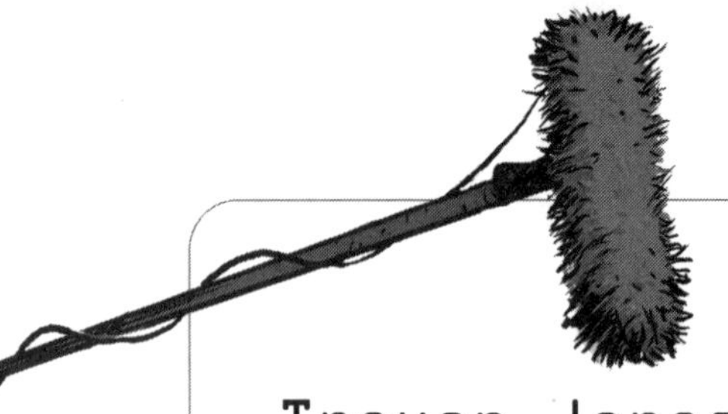

Trevor Jones

Devant la classe, jetant furtivement un coup d'œil à l'intérieur

8 h 20

C'est pour aujourd'hui ! Il paraît que pour annoncer les mauvaises nouvelles, il vaut mieux s'y prendre le matin. Je dois à tout prix dire la vérité à Libby.

WESTSIDE
COLLEGE

QUELQUES MINUTES PLUS TARD

Trevor Jones

Toujours devant la classe

8 h 29

Je n'arrive pas à lui dire la vérité.

La soirée, c'est demain. Elle n'aura jamais le temps de se trouver un autre rancard d'ici là.

Mais si je garde le silence, elle va continuer à penser qu'elle plaît à Corey, et elle aura le cœur brisé à la fin. Elle s'est mise en quatre pour l'impressionner – jusqu'à porter une jupe la semaine entière. Ça ne peut pas être une coïncidence.

Chaque fois que j'ai un problème, c'est elle qui me conseille. Comment je fais quand c'est elle qui a un problème ?

Difficile à admettre mais… je vais devoir compter sur mon instinct. Je ne vois pas d'autre solution.

CHAPITRE VINGT

APRÈS AVOIR CONSULTÉ SANS SUCCÈS SA BOULE MAGIQUE, son horoscope et une bague d'humeur, Trevor tira à pile ou face et se vit dans l'obligation d'aller trouver Libby devant son casier. Pile, c'est pile !

Il lui tapota l'épaule.

– Tu sais, ce truc que je voulais te dire à propos de Corey ?

Elle fit volte-face.

– Ouais ?

Elle avait les sourcils arqués, et non froncés, ce qu'il trouva de bon augure. Il ne pouvait plus tergiverser, de toute façon.

– Le jour de la rentrée, quand il m'a expédié dans les toilettes des profs avant de me faire une balayette... Il n'a pas arrêté de me le rappeler, depuis. Tous les jours.

– Pourquoi tu me reparles de ça, Trevor ?

Corey n'était pas du tout méchant avec elle. Il était même

adorable. Ils faisaient leurs devoirs ensemble. Il lui avait dit qu'elle avait la plus jolie écriture de toutes les filles avec qui il avait fait ses devoirs. Il la laissait marquer les réponses sur sa propre copie, tellement elle écrivait bien. Il était allé jusqu'à lui proposer de faire leurs devoirs d'histoire en binôme. Selon Libby, il n'y avait pas de garçon plus sympa que Corey Long !

– C'est une peau de vache, Libby ! s'exclama Trevor en levant les deux mains. Comment tu peux aimer un mec pareil ?

– Pourquoi tu me fais ça ?

Libby plongea la main dans son sac et en sortit une petite barquette.

– Tu te balades avec de la sauce Ranch dans ton sac ?

Elle mit un doigt dedans et goûta.

– Où veux-tu que je la range, autrement ?!

Sur ce elle tourna les talons. Trevor la suivit en faisant de son mieux pour ne pas se laisser distancer.

– J'essaie de t'aider, c'est tout. Parce qu'en réalité… (Ô mon Dieu, c'est du lourd ! se dit-il) ce n'est pas parce qu'il t'apprécie qu'il t'a invitée au bal.

– Quoi ?

Elle s'arrêta net.

– Et pour quelle autre raison ce serait ?

– Je sais exactement pourquoi.

Il déglutit avec peine en se demandant s'il devait poursuivre. Il ne voulait pas la blesser, mais il fallait qu'elle sache. Il pourrait toujours s'excuser après.

– S'il t'a invitée, enchaîna-t-il tant bien que mal, c'est juste pour que tu lui fasses ses maths. Je l'ai entendu le dire. Il n'est pas l'inconnue la plus futée de l'équation, si tu vois ce que je veux dire.

– Ce n'est pas vrai. Tu as mal compris. On est tout le temps fourrés ensemble.

– Pour faire les devoirs ?

Elle détourna les yeux.

– Je ne veux plus t'entendre, Trevor.

– Allons, Libby, ne te fâche pas.

– Je suis folle de rage, riposta-t-elle en tournant les talons.

Il était hors de question qu'elle prête l'oreille à ces horribles mensonges.

Trevor faillit lui courir après pour lui faire des excuses, mais il resta planté au milieu du couloir. Il venait de comprendre que ce n'était pas elle qui devait être en colère, mais lui. N'était-il pas son meilleur ami depuis la plus tendre enfance ? *Lui.* Pas Corey ! Pourquoi refusait-elle d'entendre raison ?

– Tu n'as pas le droit de m'en vouloir. C'est moi qui t'en veux ! cria-t-il.

– N'empêche que je suis en pétard, répondit-elle, sans se retourner.

CHAPITRE VINGT ET UN

LIBBY SE DIT QU'ELLE DEVRAIT APPELER LA MAMAN de Trevor. Elle lui racontait systématiquement tout ce qui arrivait à son fils – sans omettre aucun détail, si pénible soit-il. Jusqu'à présent, elle n'avait jamais été en colère contre lui au-delà des onze minutes d'un dessin animé. Ce qui venait de se passer méritait sans doute un entretien téléphonique.

Si ce n'est qu'elle n'était pas juste en colère. Elle était anéantie. Pourquoi Trevor lui mentirait-il ? À elle qui avait toujours pris sa défense. Il n'avait pas trouvé mieux pour la remercier que cet horrible bobard ? Elle avait super envie de téléphoner à Mme Jones pour lui expliquer quel genre de personne son fils était devenu, mais c'était impossible. Si sa mère apprenait que Trevor avait blessé une fille, il y avait de fortes chances qu'elle cesse de lui donner à manger et le pende par les pieds. Elle le priverait de sucreries, en tout cas !

Libby désirait se venger, mais elle ne voulait pas que Trevor passe le reste de la journée la tête en bas, le ventre creux. En définitive, elle décida de tout garder pour elle.

Trevor entra chez lui comme une furie.

– Maman ! Si le téléphone sonne, ne réponds pas.

Mme Jones était en train de déballer ses courses.

– Des problèmes à l'école ?

– Non. Juste avec…

Il ne savait pas comment le dire. Avec Libby, qu'il avait affreusement blessée ? Même si c'est elle qui l'avait méprisé, comment avouer à sa mère qu'il avait fait du mal à une fille ? Il n'aurait plus jamais rien à manger !

Mme Jones écarta un tabouret du comptoir de la cuisine et lui fit signe de s'asseoir.

– Je crois savoir de quoi il s'agit. Il faut que tu avoues la vérité à quelqu'un. Ça te ronge, et tu sais que plus tu attendras, plus ce sera difficile.

Mince ! Comment les mères font-elles pour être au courant de tout ?

– Comment ça se fait que tu sais tout ?

– Internet.

Mme Jones brandit un exemplaire de *Comment dessiner des personnages de BD.*

– On a reçu un message de la bibliothèque ce matin. Je sais que tu adores le dessin, Trevor, mais il faut que tu rendes tes livres à temps. Je peux les rapporter à ta place s'il le faut.

Trevor était atterré par cette nouvelle. C'était la preuve manifeste que tous ces trucs qui se passaient au collège lui embrouillaient la tête. Il devait y avoir un moyen de régler le problème sans accumuler des frais de retard.

Puisque sa mère avait l'air de tout savoir, autant lui demander de l'aider. Il paierait les conséquences, s'il le fallait.

– Ce n'est pas un problème de bibliothèque, maman, mais de fille. Je crois que j'ai fait du mal à une copine en essayant de la protéger. Et maintenant, je passe pour le méchant. Je ne sais plus quoi faire.

Depuis son divorce, Mme Jones se demandait à quel moment elle allait devoir éduquer son fils au sujet de la gent féminine. Elle avait répété son speech de deux phrases un nombre incalculable de fois. Elle se racla la gorge avant de se lancer courageusement :

– Avec les sentiments des filles, tu ne peux pas faire grand-chose, à part les laisser se dépêtrer avec. On a des sentiments tout le temps, nous autres, et on aime ça.

Trevor n'y comprit pas grand-chose. À croire que les filles appartenaient à une espèce à part !

– Tu veux dire qu'elle préférerait connaître la vérité pour

avoir ses propres sentiments sur la question ? Même si c'est désagréable, parce que ce sont ses sentiments à elle et que ça lui plaît ?

– Bravo, mon chéri, répondit sa mère. Tu as parfaitement résumé la situation.

– Elle a piqué une colère quand je lui ai dit la vérité. Je n'ai pas eu l'impression de m'y prendre si mal que ça, pourtant.

– Ça n'a rien à voir avec la manière dont tu l'as dit. Ce qui compte, c'est pourquoi tu l'as fait. Voilà comment on sait si tu es un type bien ou non.

Le problème, c'est que Trevor ne savait pas trop pourquoi il avait tenu à lâcher le morceau. Pour éviter à Libby de souffrir plus tard ? Pour qu'elle aille à la soirée avec quelqu'un d'autre ? Trop de questions se bousculaient dans sa tête et il ne possédait aucune réponse.

– Je ne sais pas… Cette histoire de type bien est trop difficile à comprendre.

Mme Jones ne supportait pas de le voir si triste.

– C'est ma faute. Je t'ai trop mis la pression depuis le divorce.

Elle redressa son col.

– Mais ne me reproche pas d'essayer de faire de toi un parfait gentleman ! Ta future épouse, présidente des États-Unis, me remerciera un jour, ajouta-t-elle en lui faisant un clin d'œil.

Trevor ouvrit des yeux grands comme des Frisbee. C'était bien de prévoir les choses, mais là, ça paraissait exagéré.

– J'ai douze ans, maman. Je n'ai pas l'intention de me marier cette semaine. Tu veux bien juste m'aider à régler mon problème avec Libby ?

Sa mère eut comme un mouvement de recul. Elle pensait qu'il avait un problème avec les filles, pas avec Libby !

Trevor comprit que s'il voulait obtenir l'appui de la personne qui savait tout, il allait devoir tout lui dire. Il prit une grande inspiration et débita d'une traite :

– Corey Long l'a invitée à la soirée, mais c'est une vermine. Je n'ai pas envie d'entrer dans les détails. Elle n'était pas là quand il m'a fait subir toutes ses crasses et, pour une raison que je n'arrive pas à m'expliquer, elle est convaincue que je lui raconte des bobards. Il fait chaud ici, non ?

– Il lui plaît ?

Trevor soupira.

– Elle a mis une jupe tous les jours, cette semaine.

– Laisse-la exprimer ses sentiments, Trevor. Ils n'appartiennent qu'à elle. C'est le meilleur moyen de lui témoigner ton amitié. Si jamais tu as des doutes, fais-lui des excuses.

Elle avait dit ça comme si c'était la chose la plus évidente du monde. Trevor se demandait quand il aurait, lui aussi, une telle clairvoyance.

À cet instant, le téléphone sonna.

– Ne réponds pas, cria-t-il en tendant la main.

– Allô ?... Vraiment ? Non, il ne m'a rien dit... Je me porte volontaire, bien sûr. Merci de votre appel !

Trevor s'arma de courage. Qu'avait-il oublié de lui dire ? Un autre livre en retard à la bibliothèque ?

– C'était ton professeur, M. Everett. Apparemment, tu as déjà fait plusieurs vols planés depuis la rentrée ?

Il baissa la tête honteusement, regrettant de ne pas s'être étendu davantage sur le cas Corey. Ça aurait expliqué tout ce binz.

Sa mère nota quelque chose dans son agenda.

– M. Everett m'a demandé de faire office de chaperon à la soirée. Il estime que tu as besoin d'une surveillance renforcée. Tu représentes un passif pour l'assurance de l'école, tu comprends. C'est à cause de ces chaussures, à mon avis. Elles sont trop usées, trop éraflées. Je vais t'en acheter une paire de neuves, de ces nouveaux modèles à semelles épaisses. Ça te permettra d'avoir une meilleure posture. J'ai lu dans un article que le dos voûté est à l'origine de la plupart des blocages de casier. Écrit par un gardien d'école qui sait de quoi il parle.

– Je n'ai pas besoin de chaussures neuves, maman.

– Et puis il va te falloir une chemise blanche et bien repassée, pour la fête. Un pantalon beige aussi, peut-être. Je me rappelle l'époque où j'allais au collège. Une soirée, c'est une soirée. On ne s'habille pas comme pour aller en cours. Je suis impatiente de rencontrer ta partenaire. Comment s'appelle-t-elle ?

Trevor avait espéré ne jamais avoir cette conversation. C'était lui qui avait mis la question sur le tapis, pourtant. Il ne pouvait plus reculer. Sa mère ne le laisserait pas faire.

– Molly.

Mme Jones haussa un sourcil.

– Elle était dans le comité d'honneur avec toi ?

– Elle est nouvelle.

– Nouvelle ?

Elle planta son regard dans le sien, en attente d'informations complémentaires.

– Elle… elle aime bien le base-ball, bredouilla-t-il.

– Une sportive ! C'est bien ! s'exclama-t-elle avec enthousiasme.

Trevor se doutait que Molly ferait mauvaise impression à sa mère, mais comme il y aurait sûrement un code vestimentaire imposé pour la soirée, il avait vaguement l'espoir qu'elle mettrait une tenue propre et pas déchirée.

Vaguement, car la mystérieuse Molly n'était pas le genre à respecter les codes.

Cindy Applegate

Parking de l'école

En train de mettre du rouge à lèvres

Samedi 17 h 45

Le bal a lieu ce soir. Je ne suis pas angoissée du tout, mais je me demande quand même si j'ai fait le bon choix en décidant d'y aller avec Marty.

Enfin, je n'ai pas vraiment choisi. N'empêche, j'aime prendre des décisions en connaissance de cause. La seule chose que je sais sur lui, c'est qu'il aime bien tirer sur tout ce qui bouge. C'est une sorte d'activité sportive. J'espère qu'il n'offrira pas un cerf mort à mon père, même si ça pourrait passer pour une délicate attention. Personnellement, je trouverais ça plutôt dégueu. En fait, il lui suffirait, pour me convaincre, de me filer quelques chewing-gums Hubba Bubba à la fraise et au melon. Je suis une fille simple !

Ne vous imaginez pas que j'ai des obsessions, mais quand même, cette sauce Ranch que Libby apprécie tant ? J'ai essayé de la convaincre de passer à l'allégée. Elle était super occupée à poser ses guirlandes couleur Grand Canyon, mais je suis à peu près sûre qu'elle a dit : T'as raison.

À moins qu'elle n'ait dit : Pas question.

À quoi bon absorber des calories supplémentaires si ça ne change rien au goût, franchement ? C'est mon leitmotiv question alimentation.

Mon autre leitmotiv, c'est : Ne jamais sortir de la maison sans un paquet de chewing-gums en rab, ou au moins un type qui vous en fournira.

Vous êtes libre de faire circuler cette information si vous le souhaitez.

CHAPITRE VINGT-DEUX

TREVOR ET LIBBY N'AVAIENT PAS ÉCHANGÉ UN MOT depuis leur dispute. Le soir de la fête, il arriva en avance car sa mère devait venir tôt pour la réunion des parents chargés du service d'ordre. Decker avait l'intention de les briefer sur la manière de repérer les mouvements de danse trop provocateurs – avec une présentation PowerPoint et tout et tout.

En plus, Molly avait insisté pour qu'il soit là de bonne heure. Malgré toute sa mauvaise volonté, elle s'était retrouvée responsable de l'alignement des chaises contre les murs du gymnase. M. Everett lui avait assuré que si elle ne mettait pas la main à la pâte, il l'obligerait à passer l'après-midi à décorer les panneaux d'affichage du collège. Molly avait pensé que vu son goût pour les épingles à nourrice, ce serait un plaisir d'accrocher des trucs sur un panneau d'affichage. Elle avait même commencé à élaborer tout un projet. Mais quand M. Everett avait menacé de l'affecter au nettoyage des tableaux noirs, elle s'était empressée d'accepter le rangement des sièges.

Comme Mme Jones et les autres parents s'éclipsaient pour se rendre chez le principal adjoint, Trevor resta bêtement au milieu du couloir. Molly surgit derrière lui et lui planta un doigt dans le dos.

– Hé, fit-elle d'une voix lasse.

Il se retourna.

– Tu as besoin d'un coup de main pour les chaises ? demanda-t-il, rentrant et sortant tour à tour sa chemise flambant neuve de son pantalon, faute de connaître le code vestimentaire pour la soirée. Habillé ? Décontracté ? Habillé décontracté ? Était-ce écrit quelque part ?

BILLET D'ENTRÉE À LA SOIRÉE

Bienvenue au bal des cinquièmes et des sixièmes !

Les cinquièmes et les sixièmes enfin réunies dans une même fête !

Les portes ouvriront à 18 h précises !

Buffet composé d'amuse-gueules sains.

Sucreries interdites dans un rayon de 15 mètres, sous peine de colle.

Tenue : Normale. **DÉCONTRACTÉE.**

Molly, elle, avait lu son billet. Elle portait la même tenue que dans la journée – une minijupe en jean avec des bas noirs déchirés et une veste de l'armée, maintenue avec des épingles à nourrice qui produisaient des cliquetis étrangement agréables à l'oreille de Trevor.

– Je vais me débrouiller, répondit-elle en jetant un coup d'œil dans le couloir désert. Mais j'ai prévu des décorations surprises. Tu pourrais monter la garde devant la porte ? Libby a insisté pour que personne n'entre dans le gymnase avant six heures. Elle a bien dit : personne.

Trevor se demanda s'il devait accepter. Il n'aimait pas trop qu'elle lui donne des ordres, et sa demande lui paraissait bizarre. Mais vu que Libby ne lui adressait plus la parole, il se félicitait d'avoir encore quelqu'un à qui parler.

– Je m'en charge, dit-il, content de se rendre utile.

Libby apprécierait peut-être son aide. Elle lui reparlerait même, si ça se trouvait. Ce serait cool !

Il se posta devant la porte, les bras croisés sur la poitrine, tandis qu'une file d'attente commençait à se former.

– Interdiction de pénétrer dans la salle avant six heures, lança-t-il.

Les élèves impatients commençaient à chahuter et se mirent à brailler : Laissez-nous entrer ! Laissez-nous entrer ! Comme si on les avait privés de leurs droits à faire la fête !

Trevor redoutait qu'une équipe de tournage de CNN ne débarque sans prévenir.

Libby arriva bientôt comme une furie, passant mentalement en revue sa liste d'ajustements de dernière minute. Elle chercha Corey des yeux, et, ne le voyant pas, elle fonça toute seule vers le gymnase, traînant dans son sillage une ultime décoration : un cactus saguaro gonflable.

Elle se fraya un chemin parmi la foule impatiente agglutinée devant les portes en cognant des gens avec son cactus. Elle se jeta sur Trevor.

– Qu'est-ce que tu fiches ? Ouvre-leur !

– Il paraît que tu as donné l'ordre de ne laisser entrer personne avant six heures. C'est Molly qui m'a dit ça. Je rends service, c'est tout.

Il sourit, ravi de ce semblant de conversation entre eux.

– N'importe quoi ! Molly était responsable des chaises, point barre. Elle devait les mettre en place hier soir.

Il comprit alors que Molly avait négligé sa mission. C'était pour ça qu'elle lui avait demandé de venir tôt : pour avoir le temps d'accomplir la tâche qu'elle était censée avoir finie la veille.

Il estima qu'une situation aussi désespérée méritait bien une petite discussion.

– Je veux bien ouvrir les portes si tu acceptes de me parler.

Il espérait l'emmener à l'écart avant qu'elle s'aperçoive que Molly n'avait pas fait son boulot. Il avait beau trouver qu'elle manquait de sérieux, il n'avait pas envie qu'elle se retrouve sur la liste noire de Libby.

– D'accord ! D'accord. Mais laisse-les entrer !

À l'instant où il libérait le passage, il vit Molly se faufiler hors de la salle par une autre porte. Heureusement, les

chaises étaient bien rangées le long des murs et le buffet semblait parfaitement en ordre. Pas un ballon ni une guirlande qui ne soit pas à sa place.

– Wouah ! murmura Libby. J'ai franchement l'art de déléguer.

Trevor profita de la situation. Elle avait accepté de lui parler. Ils allaient donc avoir une... conversation. Il se préparait déjà à se mettre en mode « excuses ».

Il l'entraîna un peu plus loin dans le couloir.

– Écoute, je suis désolé de ce que j'ai dit à propos de Corey. C'est peut-être juste à moi qu'il joue des sales tours.

Libby esquissa un sourire.

– Et je suis sûr qu'il t'apprécie davantage que les bonnes notes qu'il a en algèbre, ajouta-t-il.

Un froncement de sourcils remplaça le sourire.

– Je n'arrive pas à croire que tu continues à raconter ces imbécillités. Et que tu continues à faire confiance à Molly. Cette fille est une vandale.

– Je te demande pardon, bredouilla-t-il. J'essayais juste...

– Amuse-toi bien, Trevor. Sans moi !

Elle tourna les talons et s'éloigna à grands pas.

Trevor la regarda disparaître sans réagir. Sa mère lui avait pourtant dit que les filles étaient sensibles aux excuses...

Pourquoi est-ce que ça ne fonctionnait pas, ce coup-ci ?

Il se dirigea vers le buffet dans l'espoir que Molly referait son apparition. Libby plaisantait sûrement quand elle disait qu'elle était une vandale.

C'est alors qu'un cri perçant retentit.

Trevor Jones

En train de faire les cent pas devant le buffet, dans tous ses états

18 h 02

Il n'y a pas deux minutes que la soirée a commencé, et Libby hurle encore. Je comprends qu'elle ait été choquée en entrant dans le gymnase. La musique à fond… Les danseurs qui gesticulaient dans tous les sens… Des miettes et des emballages partout…

C'est pour ça que Libby avait perdu la tête.

Les parents, retenus par leur formation, étaient arrivés en retard. Quelqu'un en avait profité pour remplacer les bâtonnets de carotte et l'eau de source par des Zingers et du soda à l'orange. Et pas que des Zingers au chocolat. Il y avait toute une gamme de parfums.

Tout le monde s'était gavé de sucre et l'ambiance s'était échauffée d'un coup, ce qui avait entraîné une destruction massive des décorations.

On avait fait éclater les ballons, renversé les chaises, arraché les guirlandes.

Le chaos total.

Connaissant Libby, elle allait s'en vouloir à mort.

CHAPITRE VINGT-TROIS

AVANT QUE TREVOR AIT LE TEMPS DE REPÉRER Libby ou Molly, sa mère surgit à ses côtés.

– Je n'arrive pas à croire que quelqu'un ait gâché votre soirée. C'est une catastrophe ! Je me félicite que ni MON fils ni aucun élève que je connais n'ait pris part à cette pagaille.

Elle le dévisagea.

– Tu ne saurais pas qui est le responsable, par hasard ?

– Bien sûr que non.

– Tant mieux, parce que tu n'ignores pas les sentiments que m'inspire...

– La déception, oui, je sais. Tu n'as pas à t'inquiéter, maman.

Elle sourit.

– À propos de déception potentielle, où est ta partenaire ? Tu me la présentes ?

– Euh... je ne sais pas trop où elle est passée.

Trevor avait comme l'impression que Molly ne lui plairait pas. Surtout avec ses habits déchirés. Il se réjouit donc qu'elle ait disparu de la circulation.

– Je vais aider à remettre un peu d'ordre, dit Mme Jones. C'était l'objet du second volet de notre briefing... Que faire au cas où ça dégénérerait.

Elle se perdit dans la foule en ordonnant aux élèves de cesser de jouer à s'envelopper de guirlandes.

Trevor en profita pour se lancer à la recherche de Molly ou de Libby, mais Corey l'arrêta dans son élan.

– Tu n'aurais pas vu Nicole ? Faut que je lui dise que c'est vraiment cool d'avoir remplacé les légumes crus par des Zingers et du soda à l'orange.

Trevor commençait à y voir un peu plus clair. C'était forcément Corey qui avait changé les amuse-gueules et la boisson. Quel abruti ! Libby allait mourir de déception en apprenant ça. Corey n'avait donc jamais eu une conversation avec sa mère sur les filles ? Il ne savait pas qu'elles sont hypersensibles ?

Trevor redressa les épaules.

– Elle s'appelle LIBBY, pas Nicole. Et elle ne te plaît même pas. Tu l'as juste invitée parce que tu voulais qu'elle t'aide à faire tes maths. Reconnais-le.

– Comment tu le sais ? Tu m'as espionné, c'est ça ?

– Les bruits circulent vite par ici, figure-toi, répondit-il en haussant les épaules.

Corey brandit son gobelet et l'écrasa calmement dans sa main, en prenant tout son temps. Comprenant qu'il n'allait pas tarder à subir le même sort lui-même, Trevor envisagea de prendre la fuite, mais l'apparition de Decker l'en empêcha.

– Qu'est-ce qui se passe ici ?

– J'étais en train de dire à Corey qu'à mon avis, s'il a invité Libby à la soirée, c'est uniquement...

– Je vous parle du chaos qui règne dans cette salle. Pourquoi est-ce que tout le monde mange des cochonneries et détruit le matériel scolaire ?

Corey glissa subrepticement le Zingers à la framboise dans la poche de son pantalon.

– Qui était en charge de l'organisation ?

– Moi, monsieur, répondit Libby qui venait de les rejoindre.

– Pourquoi leur avoir donné ce genre d'amuse-gueule, Libby ?

Decker s'empourprait un peu plus à chaque fois qu'un beuglement retentissait dans la salle.

– Tu sais très bien que favoriser la consommation de tout ce qui contient du sirop de maïs à forte teneur en fructose lors d'une fête est contraire au nouveau règlement de notre établissement.

– Je sais, mais... j'ai délégué une partie de mes fonctions. D'autres élèves se sont occupés du buffet. J'ignore qui a pris cette initiative. Tout est de ma faute, je suis prête à l'admettre. C'était moi la responsable.

Decker reporta son attention sur Trevor.

– Connaîtrais-tu le nom du coupable ?

– Je...

Trevor vit la terreur dans les yeux de Libby. Il comprit que pour elle, devoir assumer la plus grande catastrophe de l'histoire du collège figurait en meilleure place sur sa liste noire que les jumeaux.

Avant de répondre à la question du principal adjoint, il lui envoya un message-sourcils : « Je suis désolé. »

Trevor Jones

Jetant un coup d'œil
à l'intérieur
du gymnase

18 h 20

Vous connaissez ces scènes, dans les films, quand le gentil prend la faute sur lui ou boit le poison pour sauver la fille et le monde entier, et devient un héros ?

Eh bien, quand le principal adjoint m'a posé la question fatidique, je n'ai rien fait de tout ça.

J'aurais pu voler au secours de la fille, mais je ne l'ai pas fait.

Pauvre Libby. Elle qui me couvre en toutes circonstances… Je n'ai pas été fichu de lui rendre la pareille.

J'aurais pu répondre :

– Oui, c'est moi qui ai mis des Zingers et du soda à l'orange sur les tables.

Ça n'aurait pas été si difficile.

Qu'ai-je fait à la place ? J'ai dit la vérité. Et pas que ça ! Oh non. J'ai donné tous les détails.

Je pense que c'est ce qu'on appelle la Vérité supérieure.

Je suis un imbécile.

– Réponds à ma question. Connais-tu le nom du coupable ?

– Je devais juste m'occuper des fourchettes.

Trevor inspira à fond, avant d'enchaîner :

– … mais même ça, je n'ai pas pu le faire correctement parce que Corey m'a enfermé dans le local du gardien en poussant la porte d'un coup de pied. J'ai dû me servir de fromage en spray pour écrire « Help » sous la porte. Ça a beaucoup agacé Wilson, pour des raisons de sécurité, mais il ne m'a pas collé. Il m'a juste demandé de passer la serpillière. Vous voyez tous ces sols nickel ? C'est grâce à moi. Et la réponse est non. Je ne sais pas qui a fait le coup.

Corey et Libby restèrent bouche bée.

Decker dévisagea Trevor d'un drôle d'air avant de se tourner vers Libby.

– Je n'ai rien compris à ce qu'il vient de raconter, alors, faute d'une explication cohérente, je te considère comme responsable de tout ce gâchis. Ça veut dire que tu perds ton statut au sein du comité d'organisation de la soirée. Et tu seras collée.

Il lui tendit une fiche rose puis fonça sur les élèves qui continuaient à se déchaîner dans la salle.

Libby pinça les lèvres pour retenir ses larmes et fila vers les gradins où elle s'effondra, le visage enfoui dans ses mains. Elle préférait étouffer plutôt que pleurer. Ensuite, elle chercha fébrilement dans son sac la seule chose qui pouvait lui mettre un peu de baume au cœur : son carnet de croquis Hola Kitty ! Où était-il passé ? Il avait disparu. Disparu !? Heureusement, elle trouva un gobelet rempli de sauce Ranch tout au fond de son sac ; sans cela, elle aurait sûrement éclaté en sanglots.

Corey nargua Trevor en lissant sa mèche :

– Beau travail, mon pote ! Je vais aller lui parler.

– Pour quoi faire ? siffla Trevor en lui jetant un regard noir.

Avait-il vraiment l'intention de la consoler ?

– Libby s'est pris une colle. C'est pas cool !

– Tu as capté son nom ? Et elle t'intéresse maintenant ? Parce qu'elle a des ennuis ?!

– C'est une rebelle. C'est top !

– Elle n'a rien d'une rebelle. Tu ne la connais pas. Elle est organisée, tu ne peux pas imaginer. Elle porte toujours des couleurs coordonnées, elle est responsable de ma vie sociale et…

– Et tu commences à me casser les pieds, acheva Corey en lui enfonçant un doigt dans les côtes. J'y vais lui causer, que ça te plaise ou non.

Trevor toussa. Il n'était pas très costaud et Corey avait appuyé méchamment fort. Pourtant, il bomba le torse.

Une colonne vertébrale solide, ça aiderait.
Même rien qu'un sternum !

– Je veux que tu lui dises la vérité.

Corey se retourna.

– Je vais lui dire que je trouve ça cool qu'elle se soit fait coller. Point barre. Si tu lui racontes autre chose, je lui dirai que tu mens. Je ne sais pas si tu connais les filles, mais elles ont horreur des bobards.

– Elle me croira. On est amis.

– Si tu étais vraiment son ami, tu te serais accusé à sa place.

Trevor serra les dents.

– Je peux en dire autant de toi.

– Je ne suis pas son ami. Je suis son petit ami. Y a une différence.

Corey pouffa de rire avant de se diriger vers Libby qui essayait de se calmer en s'empiffrant de sauce Ranch.

En la regardant lutter pour retenir ses larmes – tout ça parce qu'elle allait payer pour une faute qu'elle n'avait pas commise ! – Trevor crut comprendre ce qu'elle entendait par amis amis. Ce n'était pas qu'elle en voulait d'autres ; mais elle en voulait des meilleurs. Qui prennent sa défense.

Quand il la vit parler avec Corey, enchaînant plus de mots qu'elle ne lui en avait adressé en quinze jours, son cœur sombra dans sa poitrine. Il avait perdu sa meilleure amie, sa seule amie, au profit d'une vermine. Comment redresser la situation ? En réfléchissant, il se rendit compte qu'il n'avait plus qu'une solution : s'asseoir par terre, adossé au mur en béton, et s'avouer vaincu.

Il se laissa glisser le long du mur, tête baissée, quand Molly surgit.

– On danse ou quoi ? Sinon, je me tire, dit-elle en mettant son sac sur son épaule. On s'ennuie comme des rats morts ici.

Trevor jeta un coup d'œil par-dessus son épaule aux élèves

qui se trémoussaient comme des fous en s'enveloppant de guirlandes qui leur donnaient des allures de momies. Les parents n'avaient pas réussi à les arrêter. Quant à Decker, il courait au milieu de cette bande de hurluberlus en brandissant une liasse de fiches roses.

– Tu t'embêtes, c'est ça ? demanda Trevor.

Molly se tourna à son tour vers les danseurs.

– J'ai trouvé ça sympa une minute.

Il remarqua que son sac plein à craquer n'était pas complètement fermé. Quel attirail avait-elle bien pu y fourrer ? Il bondit sur ses pieds pour regarder à l'intérieur, et ce qu'il vit le laissa sans voix.

Trevor Jones

Caché derrière les gradins en train de promener des regards anxieux dans la salle

18 h 45

Des carottes ! Son sac était rempli de carottes. C'est elle qui avait remplacé les amuse-gueules. Voilà pourquoi elle tenait à être seule dans le gymnase avant que la fête commence.

C'est elle la coupable. Mais c'est aussi ma partenaire. J'ai peut-être tort de faire des histoires, mais ruiner une soirée et faire porter le chapeau à ma meilleure amie, ça mérite une rupture d'accord.

Je vais devoir la démasquer pour innocenter Libby. Sinon notre amitié sera ruinée à jamais si elle découvre la vérité.

Mais Molly… La mystérieuse Molly aux mèches bleues… Qui raffole des cartes de base-ball rares. La fille parfaite. Et la première qui a répondu « OUI » à une invitation de ma part.

Je ne voudrais pas être négatif ou quoi que ce soit, et vous avez le droit de me censurer si vous le souhaitez, mais je viens de me rendre compte d'un truc.

C'est... **CENSURÉ**

Je ne sais pas quoi faire. Vous n'auriez pas une boule magique, par hasard ?

S'il vous plaît. Je suis désespéré.

Trevor glissa la main dans sa poche et en sortit la boule magique miniature que Molly lui avait donnée contre sa carte fétiche. Il tourna le dos et chuchota, les lèvres collées à la petite boule :

– Faut-il que je dise à Decker que c'est Molly la coupable ?

Puis il la secoua et vérifia la réponse sur le minuscule écran.

Il reconnut bien des lettres, mais elles étaient toutes petites et floues. Illisibles.

Il allait devoir régler ça tout seul, sans l'aide d'une boule magique.

– C'est toi qui as échangé les amuse-gueules, lança-t-il à Molly.

Elle se retourna et écarta son sac de lui.

– Qu'est-ce que tu racontes ?

– Ton sac est rempli de carottes.

Ses mains fébriles attirèrent le regard de Trevor.

– Et puis tu as du glaçage de Zingers sur les doigts.

Molly les lécha en lui jetant un regard noir.

– Et alors ? Ça n'a fait de mal à personne.

– Si, à Libby. Elle s'est fait attraper. Il faut que tu dises la vérité au principal adjoint.

– Pas question que je dise quoi que ce soit à papa.

– Qu'est-ce que tu dis ? À papa ?

Molly leva les yeux au ciel.

– Pourquoi est-ce qu'on ne me demande jamais mon nom de famille, à ton avis ? Je m'appelle Molly Decker. Lui, c'est mon père, précisa-t-elle, pointant le doigt vers le principal adjoint en train de pourchasser des momies hyperactives. Il me prend pour un ange. Il ne te croira jamais. Allons-y, si tu veux. On s'ennuie tellement, de toute façon.

– Mais... qu'est-ce qui t'a pris, à la fin ?

– Je vais te le dire : à chaque fois qu'il est muté dans

une nouvelle école, papa invente un nouveau règlement débile. Quelqu'un finit toujours par le remettre en cause et en définitive, on doit encore déménager.

Elle s'interrompit en secouant la tête :

– Tu ne peux pas savoir comme c'est naze de recommencer dans un nouveau bahut tous les trois mois. C'est super dur de repartir de zéro, tu ne te rends pas compte. Il faut bien que je trouve un moyen de rendre ma vie intéressante.

Elle ajusta la lanière de son sac sur son épaule.

– Ne cherche même pas à me connaître, Trevor. Je serai bientôt partie vers d'autres horizons. Allez, à plus.

Elle tourna les talons dans un cliquetis d'épingles à nourrice et disparut dans la foule.

Molly Decker

Debout près du panneau
de sortie en train
de boire un soda à
l'orange

19 h 01

Sérieux, toutes les écoles où je vais, c'est toujours le même plan. Un vieux prof de littérature bourru, un prof de sciences en chemise hawaïenne et sandales, un gardien qui prend son boulot trop à cœur.

Et les élèves ? Je n'en parle même pas. Tous les mêmes. Soit des sportifs, soit des Barbie, soit des fans du heavy metal, ou alors des skaters ou des obsédés de YouTube. Aucune variation. Copié collé.

Si vous saviez comme c'est soûlant. J'aimerais tellement qu'il se passe des choses passionnantes dans ma vie. Rencontrer des gens stylés, quoi. C'est trop demander ? J'avais pensé à Trevor mais je me suis trompée. Il ne m'intéresse pas du tout.

Papa pense que je souffre d'un trouble de déficit de l'attention, et qu'il faut que je mange plus de légumes verts. Il ne se rend pas compte que c'est juste un problème d'ennui.

Alors, ouais, parfois je fais des trucs un peu zarbis.

Mais ça m'évite de sombrer dans la déprime.

Marty Nelson

Au bar, en train de se servir tranquillement un verre de soda à l'orange

19 h 05

Trevor ? C'est un pauvre mec. J'étais gêné pour lui quand je l'ai vu assis par terre en train de marmonner des questions à son espèce de petite balle. Ça ne va sûrement pas régler son problème.

Un problème, il en a un, c'est clair. Et ça ne m'a pas dérangé de lui faire comprendre.

Je sais que les cinquièmes et les sixièmes ne sont pas censés devenir copains. C'est la règle. Sauf que, cette règle, c'est moi qui l'ai fixée.

Alors j'ai le droit de l'enfreindre.

CHAPITRE VINGT-QUATRE

MARTY FLANQUA UN COUP DE PIED DANS LA chaussure de Trevor.

– Tu ne peux pas rester assis par terre. Allez, lève-toi. Tu ne vas pas rester là toute la nuit.

– Je vais rester contre ce mur pour l'éternité. C'est un joli mur. Un bon mur. Je l'appelle mon petit Mur-mur.

– Tu ne peux pas nommer un mur. Je ne te laisserai pas faire. Debout, Trevor.

– Mais…

– Tout de suite !

Marty était penché sur lui tel un immeuble de quarante étages au crâne rasé. Il portait un pantalon de camouflage et un sweat-shirt gris – comme toujours. Comment les autres connaissaient-ils si bien les codes vestimentaires ?

Trevor rangea sa boule magique dans sa poche et se redressa lentement.

Marty croisa les bras sur sa poitrine.

– Ce truc-là te donne des réponses ?

– Pas une seule.

– C'est quoi ton problème ?

– J'ai tout foiré. C'est Molly qui a échangé les amuse-gueules pendant que je montais la garde devant les portes. Mais, à cause de moi, Libby a chopé une colle. Maintenant, Corey l'apprécie pour de bon. Il trouve ça cool qu'elle ait été punie. En conclusion, j'ai perdu ma partenaire et ma meilleure amie, et il est clair que Corey va continuer à m'humilier jusqu'à mes quatre-vingt-dix ans. Et toi, ta soirée se passe bien ?

Marty porta son attention sur Cindy.

– Pas beaucoup mieux. Ma partenaire à moi a fait claquer son chewing-gum qu'elle est en train de racler sur sa lèvre supérieure, si tu veux tout savoir.

– Super. Je suis content pour toi. Profite bien de ton existence de rêve, Marty. Si tu veux bien m'excuser, je vais retourner à mon mur.

– Arrête ton délire, Trevor. Dis à Libby que tu te charges du problème, et va expliquer au principal adjoint qui a échangé les amuse-gueules.

Trevor aperçut Corey près de la table du bar en train de descendre une bouteille de soda à l'orange.

– C'est impossible. Ça m'obligerait à trahir ma partenaire.

Libby me prend déjà pour un menteur. Elle ne croira jamais que Molly est coupable. Corey fera tout pour l'en dissuader.

Marty haussa un sourcil.

– Je t'ai déjà expliqué comment gérer ce genre de mec.

– Je ne voudrais pas te faire de peine, Marty, mais j'ai suivi tes conseils et on ne peut pas dire que ça a marché.

– Tu n'as pas tout appliqué à la règle. Tu as dû sauter une étape.

Marty lui tapa sur le crâne pour le stimuler.

– Rappelle-toi l'épisode Jamie Jennison, quand on était dans le couloir...

Trevor leva les yeux au ciel dans l'espoir qu'une dalle se détache du plafond et lui tombe dessus, réactivant sa mémoire.

Marty était sûr que si Trevor fixait le plafond suffisamment longtemps, la réponse viendrait. Ça marchait toujours chez lui.

Alors qu'il rejoignait la foule, Trevor resta seul dans son coin à se demander comment il allait s'en tirer. Et quelle partie du conseil de Marty il avait oubliée. Jamie s'était contentée de lui poser une question... Il l'avait ignorée... Elle s'était mise en colère...

Mais oui, c'était ça ! La taloche sur le crâne avait fait son effet. Il venait de percuter.

Ignorer. Les gars comme Corey ne supportent pas qu'on les ignore.

C'est alors que M. Everett s'approcha de lui.

– Pourquoi est-ce qu'ils sont tous emmaillotés comme des momies ? marmonna-t-il en grignotant une poignée de Skittles verts.

– Quelqu'un a remplacé les crudités par des Zingers et du soda à l'orange. Ils sont tous surexcités.

Everett secoua la tête.

– C'est des Skittles qu'il leur faut, pas des Zingers. Ça les calmera direct. Dommage que les rouges aient tous disparu.

Trevor envisagea de lui expliquer que les Skittles n'avaient pas un effet forcément apaisant sur les élèves, mais il n'avait pas le temps.

– J'espère que vous allez les retrouver, dit-il avant de se diriger à grands pas vers le bar pour se planter à côté de Corey.

– On a déjà un autre rancard, Libby et moi, lui annonça ce dernier. Lundi, après sa colle, on a prévu de se retrouver à la bibliothèque pour faire nos devoirs.

Corey ébaucha un pas de danse comme ceux qu'exécutent les joueurs de base-ball quand ils marquent un point, qui leur valent de si lourdes amendes.

– Qu'est-ce que tu dis de ça ?

Trevor crevait d'envie de lui faire tout un speech sur le fait que Libby finirait par y voir clair dans son jeu et qu'un jour, d'ici peu, elle l'enverrait bouler. Mais il n'en fit rien. Il ne dit pas un mot. Pas un seul. Il ne lui accorda même pas un coup d'œil de courtoisie, se bornant à l'ignorer. Complètement.

Puis il prit une bouteille de soda à l'orange et deux gobelets et se dirigea tranquillement vers les gradins. Libby devait avoir soif après toute la sauce Ranch qu'elle avait avalée.

– Où tu vas comme ça ? lui lança Corey. Reviens. J'étais en train de te causer, mec !

Trevor serra les dents pour repousser la tentation de répondre. Le précieux conseil de Marty flottait dans sa tête tel un petit nuage de sagesse. L'ignorer, l'ignorer…

Corey se mit à faire les cent pas, comme un étalon enfermé dans un enclos.

Trevor remplit un gobelet de soda à l'orange et l'apporta à Libby.

– Je suis désolé.

Elle releva la tête, les joues en feu.

– Je n'ai pas envie de boire. Je veux juste rester assise ici, toute seule.

– Tu ne vas pas te planquer dans les gradins toute la nuit.

– Je resterai là jusqu'à la fin des temps.

– Allez… Bois ça.

Il lui fourra le gobelet dans la main.

– Ne bouge pas d'ici. Je vais tout arranger.

– J'ai déjà une colle. Je ne vois pas ce qui peut m'arriver de pire. Jamais je ne serai élue déléguée avec une telle tache dans mon dossier. C'est foutu.

Trevor ne supportait pas de voir Libby dans un tel état à cause d'une colle qu'elle ne méritait pas.

– Je vais tout arranger. Regarde-moi faire.

Repérant Molly à l'autre bout de la pièce, il la rejoignit en courant au moment où elle ouvrait la porte de sortie.

– Molly ! Attends.

– On s'ennuie ici. Je m'en vais.

– Je sais que tu es ma partenaire et tout ça... mais je vais être obligé de dire au principal adjoint qui est la coupable, même si ce n'est pas ce qu'il y a de plus romantique.

Il plongea la main dans le sac de Molly et en sortit une poignée de carottes.

– Monsieur Decker, pourriez-vous venir par ici, s'il vous plaît ?

– Tu perds ton temps, souffla Molly en haussant les épaules d'un air indifférent. Il ne te croira pas.

Decker fondit sur eux.

– Qu'est-ce que c'est que ces carottes, fiston ?

Trevor décocha un sourire espiègle à Molly. C'était peut-être une rebelle, mais comme disait sa mère, les filles ont des sentiments – à la pelle –, et même s'il ne comprenait pas trop les siens, il devait au moins essayer. Le moment était venu pour le héros de voler au secours de la fille – de les sauver toutes les deux.

– Elles sont à moi, monsieur, dit-il. C'est moi qui ai échangé les amuse-gueules. Tout est de ma faute. Vous auriez dû me coller à la place de Libby.

M. Everett, qui grignotait des Zingers à la framboise, l'interrompit.

– C'est toi qui es à l'origine de tout ce bazar, Trevor ?

Molly ne lui laissa pas le loisir de répondre. Ce qu'il venait de faire pour elle était la chose la plus fascinante à laquelle elle ait jamais assisté. Ce jour-là, en tout cas. Mais elle ne pouvait pas le laisser encaisser à sa place.

– Ce n'est pas lui, le coupable, papa. C'est moi.

Decker posa la main sur l'épaule de sa fille.

– Ça suffit, Molly. Ne t'accuse pas à la place d'un autre. Tu es trop gentille parfois.

Il sortit une fiche rose de sa poche. Comme il la tendait à Trevor, Molly s'interposa en lui tirant sur le coude.

– Je t'assure, papa, c'est moi. Regarde.

Elle posa son sac par terre et défit la fermeture Éclair. En jaillirent Lefty, l'énorme outil pour ouvrir les casiers, le carnet de croquis Hola Kitty ! de Libby, la revue *Chasseur extrême* de Marty, des poupées troll, des boules à neige, des yoyos, des Koosh balls – pratiquement tout le catalogue de Toys 'R' Us. Ensuite, elle plongea la main dans la poche de sa veste en jean et en sortit quarante-sept bonbons rouge écarlate.

– Mes Skittles ! s'exclama M. Everett.

Molly fit face à son père.

– Je sais que tu me considères comme une petite fille parfaite. Mais voilà qui je suis en réalité.

Decker posa une main sur son épaule.

– Chaque fois qu'on change d'établissement, tu nous fais ton petit numéro. J'aimerais mieux que tu te trouves de nouveaux amis.

– Je collectionne des objets, papa, pas les amis.

Elle voyait bien qu'il ne l'écoutait pas, comme d'habitude.

– Tu n'as jamais remarqué tous ces trucs dans ma chambre ? T'arrive-t-il de t'intéresser à moi quelques fois ?

– ... je...

Molly lui prit la fiche rose.

– Merci. J'en ai besoin. Être collée est ce qui m'est arrivé de plus intéressant aujourd'hui.

Elle déposa les Skittles dans la main de M. Everett.

– Ils sont un peu gluants. Désolée. Si vous voulez me donner une autre colle, ne vous gênez pas.

M. Everett glissa les bonbons dans un sachet en plastique sorti de la poche de sa chemise et prévu apparemment pour cet instant précis... à savoir le retour sain et sauf de ses chers Skittles rouges.

– Non, Molly, répondit-il, mais j'ai un moyen efficace de t'éviter de t'ennuyer.

Elle croisa les bras sur la poitrine en se tenant sur une seule jambe – sa posture « j'ai un doute ».

– Dès que tu m'auras rendu toutes les punaises que tu m'as piquées, tu décoreras mon panneau d'affichage. Ce sera ton projet artistique personnel. Une manière d'exprimer ton désœuvrement.

Toujours pas convaincue, Molly prit appui sur l'autre jambe.

M. Everett hésita avant d'ajouter en faisant la grimace :

– Tu auras droit à autant d'épingles à nourrice que tu veux.

– Vraiment ? Marché conclu, alors, dit-elle en tendant la main.

Ils échangèrent une poignée de main poisseuse.

Decker croisa les bras sur la poitrine à son tour et observa longuement sa fille. Après quoi il tendit la liasse de bulletins de colle à M. Everett.

– Prenez la relève et veillez à ce que chacun récupère son bien, dit-il en pointant le doigt vers le sol.

Pendant qu'il entraînait Molly vers la porte, les élèves s'approchèrent des objets éparpillés par terre et se jetèrent, tels des vautours, sur ceux qui leur appartenaient.

– J'ai le sentiment qu'on devrait rentrer à la maison histoire d'avoir une petite discussion, dit Decker à sa fille. Et faire un peu de rangement dans ta chambre, ajouta-t-il en lui décochant un clin d'œil.

Molly pressa ses lèvres l'une contre l'autre.

– Ce serait pas mal de dégager un peu de place, qu'on puisse y entrer déjà.

Sur le point de lui emboîter le pas, elle pivota sur ses talons et courut vers Trevor.

– C'est la première fois de ma vie que quelqu'un s'accuse à ma place. Merci. Je pensais que personne n'aurait envie de devenir copain avec la nouvelle un peu zarbie et canaille. Faut croire que je me suis trompée.

Trevor rougit.

– Sauf que j'ai gâché ta soirée. Tu regrettes de ne pas avoir dit oui à l'autre garçon qui t'a invitée ?

– Corey ? Certainement pas. Je ne sors pas avec des voyous, riposta-t-elle en lui assénant une petite tape sur l'épaule avant de repartir en courant.

Quoi ?

Trevor frémit…

C'était Corey qui lui avait proposé de l'accompagner à la fête ?

Trevor Jones

Au bar

Faisant les cent pas
tout en buvant un soda
à l'orange

20 h 01

C'est pour ça qu'il m'a cherché – il était jaloux que Molly ait envie d'aller danser avec moi. Il flashait sur elle. Et maintenant que c'est Libby qui l'intéresse, il va faire son possible pour l'éloigner de moi, elle aussi.

Mais je ne vais pas me laisser faire. Libby et moi, on a passé toutes nos vacances ensemble depuis qu'on est nés. Il ne peut pas gâcher une aussi belle amitié.

CHAPITRE VINGT-CINQ

En se retournant, Trevor vit Corey s'orienter vers Libby d'un air dégagé.

Oh non !

Il s'élança, espérant arriver près d'elle à temps, mais Corey l'avait devancé. Libby s'était levée et se balançait d'un pied sur l'autre.

– Tu es au courant ? l'entendit-il dire à Corey. Cindy vient de me raconter que Trevor a fait avouer à Molly que c'était elle la coupable ! Je ne suis plus collée, du coup.

Corey recula.

– Comment ça, tu n'es plus collée ?

– Non. C'est super, hein ? Trevor a même trouvé les carottes. On n'a plus qu'à ranger les Zingers.

Trevor les rejoignit, un peu essoufflé, et sourit à Libby.

– Exact. Tu peux déchirer ta fiche rose, Lib.

Elle lui sourit à son tour.

Corey les envoya balader d'un geste las.

– C'est ridicule. Ne comptez pas sur moi pour bouffer des carottes, ni sortir avec une fille qui n'est même pas collée. Je me ferai aider en algèbre par quelqu'un de plus cool.

Libby mit ses mains sur ses hanches.

– Qu'est-ce que tu entends par là ?

Il recula encore d'un pas.

– Rien. Laisse tomber.

Elle le foudroya du regard.

– Dis-le-moi. Tout de suite.

Il souffla bruyamment.

– Bon, j'avoue, si je t'ai invitée à cette foutue soirée, c'est uniquement pour que tu me fasses mes devoirs d'algèbre. Après, j'ai trouvé cool que tu te la joues rebelle et que tu prennes une colle. Mais je me suis trompé sur ton compte. Tu n'es pas cool du tout, en fait.

Trevor vit des larmes briller dans les yeux de son amie. Il ne l'avait vue pleurer qu'une seule fois dans sa vie : le jour où il lui avait roulé sur les pieds en CE2, alors qu'il essayait de lui faire une démonstration de vélo sans les mains.

Cependant, un pack de glace et la moitié de son Fun Dip ne suffiraient pas à sécher ses larmes, cette fois-ci. Et il décida que plus jamais il ne laisserait Corey Long faire pleurer sa meilleure amie.

Il envisagea de lui flanquer son poing dans la figure, mais il savait qu'une seule chose serait susceptible de blesser profondément Corey Long : c'était de lui mettre la honte !

À cet instant, Trevor aperçut sa mère en train de libérer des élèves emberlificotés dans des guirlandes en essayant de les convaincre de limiter leur consommation de soda à un verre chacun. Elle croisa son regard et brandit le pouce. Un geste qui lui fit chavirer le cœur, sachant que ce qu'il s'apprêtait à faire allait la décevoir et qu'en décevant sa mère, il ferait fondre la banquise.

Il y a pourtant des circonstances où on était forcé d'enfreindre le règlement – même sous le nez de sa mère. Trevor comprenait à présent que pour s'en sortir au collège, il ne suffisait pas d'avoir des chaussures éraflées, de savoir qui inviter pour le bal et de s'abstenir de gribouiller.

Il fallait aussi faire preuve d'héroïsme.

Il attrapa une bouteille de soda, fit un pas en avant, brandit sa matraque de fortune et l'abattit sur la tête de Corey, donnant à sa chevelure des allures de serpillière.

– C'est là que tu te trompes, mon petit gars, lança-t-il. Elle est super cool !

Wouah ! Il avait enfin trouvé les mots justes.

M. Everett se rua sur eux.

– Trevor, tu ne peux pas…

– Pas grave, répliqua-t-il en levant la main. Ça m'est égal de prendre une colle pour ça.

– Mes cheveux ! hurla Corey.

Agrippant ses mèches dégoulinantes à deux mains, il fendit la foule pour se précipiter aux toilettes. Mais, aveuglé par la rage et par sa mèche, il se trompa de direction et on l'entendit pousser un cri perçant.

Libby éclata de rire. Un énorme éclat de rire. Elle se rassit dans les gradins, pliée en deux. Trevor aurait bien voulu en faire un enregistrement pour le lui repasser quand ils

seraient ensemble en maison de retraite à jouer toute la journée à des jeux vidéo.

Il s'approcha de M. Everett qui lui tendit une fiche rose. Avant qu'il ait le temps de l'empocher, sa mère se précipita vers lui.

– Trevor !

– Je peux tout t'expliquer, maman...

– Ce n'est pas nécessaire. M. Decker nous a appris à lire sur les lèvres de manière à détecter le langage grossier. Je sais pourquoi tu as écopé d'une colle.

Trevor la regarda d'un air intrigué, ne comprenant pas trop où elle voulait en venir.

– Ce n'est pas grave, ajouta-t-elle en lui décochant un clin d'œil. Il m'arrive aussi de faire une entorse au règlement de temps en temps, quand ça se justifie.

Il se sentait soulagé de ne pas l'avoir propulsée dans une nouvelle spirale de déception.

– Merci, maman.

Les mains sur les hanches, elle parcourut la foule du regard.

– C'est ta partenaire qui est responsable.

– Comment tu le sais ?

– Molly me l'a dit elle-même avant de partir avec son père. Elle a deviné qu'il allait y avoir du grabuge entre Corey et toi. Elle m'a expliqué que ce n'était pas la première fois qu'elle assistait à ce genre de scène et elle tenait à ce que je sache ce que tu t'apprêtais à faire.

Mme Jones marqua une pause, un peu fatiguée par cette longue explication. Un peu déroutée, aussi.

– Donc, en plus d'être sportive, ta partenaire est... médium ?

Trevor poussa un gros soupir, contente que Molly se soit finalement comportée en amie.

– Elle n'est pas médium. Elle a fréquenté plein d'écoles, c'est tout.

Mme Jones croisa les bras sur sa poitrine d'un air satisfait.

– Je ne m'attendais vraiment pas à ce qu'elle ait ce look. Je la trouve... intéressante, en tout cas.

Tout à fait d'accord, pensa Trevor.

Sa mère lui tapota le dos avant de voler au secours d'autres élèves pris au piège dans leurs guirlandes.

Dès qu'elle eut tourné le dos, Libby s'approcha de Trevor et lui asséna un petit coup sur le bras.

– Aïe !

Les filles s'imaginaient donc toutes que les garçons apprécient qu'on les malmène ?

– C'est pour te punir de ne pas m'avoir dit plus tôt que Corey Long était une vermine !

– Je te l'ai dit, répondit-il en se frottant le bras. Deux fois.

– Et ça...

Il s'arc-bouta, prêt à se prendre un autre coup.

– ... pour te remercier d'être un super copain.

En souriant, elle lui tendit un Zingers à la framboise. Un peu écrabouillé, mais mangeable.

Il le déballa d'un air satisfait.

– Un super copain, hein ?

Elle ferma les yeux un bref instant avant de bredouiller :

– Je n'aurais jamais dû te dire qu'on n'était plus amis amis. Je pensais que ce serait une bonne initiative, mais j'ai eu tort.

– Je n'ai jamais compris ce que ça voulait dire, tu le sais, ça ?

– Moi non plus, répondit-elle en s'esclaffant.

Trevor mordit dans son Zingers, le cœur léger.

– On est de nouveau copains, alors ?

Il eut droit à une autre tape.

– Les meilleurs !

Son bras commençait à s'engourdir à force d'encaisser les coups, mais il était plutôt content. Peut-être bien qu'au fin fond d'eux, les garçons ne sont pas mécontents de se faire chahuter par les filles, finalement.

– Merci, Libby.

Il plongea la main dans sa poche.

– Une carotte ?

Tout sourires, elle sortit sa réserve de sauce Ranch. Ils s'installèrent tous les deux sur un banc pour déguster leurs amuse-gueules en contemplant le chaos.

Corey Long

Dans le couloir,
en train de se sécher
les cheveux avec une
serviette en papier

20 h 08

Bon d'accord, je le méritais, mais il n'était pas obligé de s'attaquer à mes cheveux. Il veut me pourrir la vie, ou quoi ?!

En attendant, j'ai compris… Il me prend pour le méchant.

Je suis Dark Vador.

Ce n'est pas un problème, en fait. Parce que si on y réfléchit…. Vador, c'est le plus cool de tous.

Certes, il meurt, frappé par un sabre laser.

Mais tout de même, il est cool de chez cool. Certains d'entre nous sont nés comme ça.

Cindy Applegate

Affectée au nettoyage
après la soirée,
ce qui n'a pas l'air
de lui déplaire

20 h 10

Il paraît que Trevor a renversé une bouteille de soda sur la tête de Corey. Après ça, il a déballé trois Zingers et les lui a écrasés sur la figure. C'est horrible parce qu'il y en avait un à la noix de coco, et c'est dégueu, la noix de coco. Ça a un effet épouvantable sur le teint. Même coincée sur une île déserte avec rien que des palmiers et des noix de coco, jamais j'en mangerais, y compris dans un Zingers. Et pas question que je m'en mette sur le visage.

On m'a raconté aussi que Trevor avait fait une balayette terrible à Corey qui aurait exécuté un saut périlleux à 300 °. Après une cascade pareille, il est resté décoiffé pendant quelque chose comme une minute entière. Ensuite, Trevor l'a enfermé dans le local du gardien. C'est le bruit qui court, en tout cas.

(Elle se gratte la tête et cligne nerveusement des yeux.)

Bon d'accord, j'avoue, j'ai en partie INVENTÉ. Ça m'arrive de temps en temps. Je suis trop petite. C'est pour ça que je tiens à être déléguée des élèves. C'est la seule solution pour que les gens fassent attention à moi.

Vous voulez que je vous dise mon slogan ? « Le chewing-gum rend intelligent. Légalisez le chewing-gum. »

Avec ça, je vais forcément gagner.

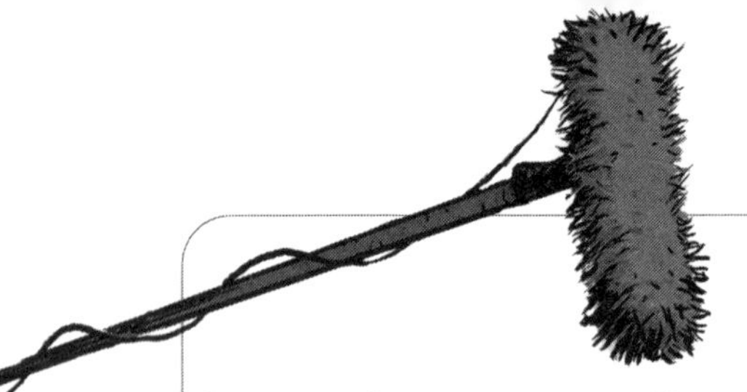

Les jumeaux Baker

Élèves de cinquième

Attendant que leur mère vienne les chercher

20 h 15

Brian : J'ai entendu dire que Trevor lui avait fait son numéro de ninja en sortant ses nunchakus.

Brad : N'importe quoi ! C'était des stylos à bille.

Brian : Des nunchakus, je te dis !

Brad : Pas du tout. Trevor a sorti deux stylos bleus et lui a couru après dans la rue.

Brian : Des stylos ? C'est absurde.

Brad : Attends… Je viens de me rappeler un truc que j'ai vu à la télé. Tu as raison, c'était des nunchakus.

Brian : Mais non ! Je plaisantais. J'ai tout inventé.

Brad : Très drôle. C'est toi qui as hérité du gène de l'humour, c'est sûr.

Brian : Et toi du gène du manque d'humour.

Brad : Tu m'as piqué mes chaussures.

Brian : Rends-moi ma chemise.

Trevor Jones

En train de ramasser les guirlandes tout en cherchant du coin de l'œil des Zingers à la framboise

20 h 17

Ce n'est pas vrai que j'ai sorti des stylos à bille. Je ne lui ai pas fait de balayette non plus, ni écrasé de Zingers sur la figure. Par contre, je lui ai bien versé une bouteille de soda sur la tête. Il est parti comme une furie dans les toilettes des filles, effectivement. Mais c'est tout ce qui s'est passé.

La rumeur à propos des nunchakus est parvenue à mes oreilles. Et, euh… je crois bien que je vais la laisser courir encore un petit bout de temps.

Ça ne peut pas faire de mal à ma réputation.

Attendez une seconde…

J'ai une réputation ??!! Moi !?!

(Il brandit le poing.)

YESSS !

CHAPITRE VINGT-SIX

LE LUNDI APRÈS-MIDI, APRÈS LES COURS, TREVOR SE rendit dans la salle de colle et découvrit Libby près de la porte.

– Qu'est-ce que tu fais là ? Tu as raté le bus ?

– Je vais t'attendre ici. J'ai pensé que tu aurais peut-être envie de compagnie pendant le trajet du retour.

En se rapprochant de lui, elle ajouta :

– Je t'avais suggéré de te faire un nouvel ami, tu te rappelles ?

Il déplaça nerveusement la courroie de son sac sur son épaule.

– Euh, ouais... le truc, c'est que...

– Je ne sais pas si tu t'en rends compte, mais je crois que tu as réussi.

– Pardon ?

Sans en dire plus, elle le quitta, un petit sourire aux lèvres.

Trevor entra dans la salle en se demandant ce qu'elle avait voulu dire. Jusqu'au moment où il aperçut Marty planté dans le couloir, les pieds écartés de la largeur des épaules, qui brandissait un message.

Libby avait raison, comme d'habitude.

– Marty ! s'exclama Mlle Plimp en lâchant sa craie.

Oh, non ! Il s'était fait choper. Il était bon pour une colle !

– Ferme cette porte. Il y a un courant d'air.

Libby et Trevor

Attendant à l'arrêt du bus

7 h 52

Plutôt bavards vu l'heure matinale

Libby : Trevor a fait des efforts pour essayer d'être plus cool, mais c'est moi qui aurais dû. J'avais besoin d'évoluer, bien plus que lui.

Trevor : Tu es consciente que la caméra tourne ? On nous enregistre. Tu ne pourras pas revenir sur ce que tu as dit.

Libby : Je promets d'arrêter les fixettes sur la coordination des couleurs. Et puis ce n'est peut-être pas une bonne idée de tout planifier constamment.

Trevor : Ça veut dire que tu ne seras plus responsable de ma vie ?

Libby : Oh, j'ai bien l'intention de continuer à être ta conseillère sociale. À propos, tu as toujours ton stylo porte-bonheur ?

Trevor : Je sais, je sais… Plus le droit de gribouiller.

Libby : En fait, tu devrais continuer à t'en servir. Je les trouve jolis, tes dessins.

Trevor : Quoi ? Qu'est-ce que tu dis ?

Libby : Je pense vraiment que tu as trouvé ta voie. Lance-toi, Trevor.

(Il part en courant.)

Libby : Trevor ? TREVOR ? Reviens. Je n'ai pas dit : là, tout de suite !

ZINGERS
Skittles

LEFTY

BOÎTE À INDICES
ANONYMES

Le cake à l'artichaut a été repéré,
avec un chapeau et une fausse moustache,
dans la voiture d'une femme de service.
Elle se sert des restes comme prétexte
pour avoir accès à la zone de dépose des élèves.

TROUVÉ DANS LA BOÎTE À INDICES ANONYMES.

ROBIN MELLOM a enseigné au collège. Elle écrit désormais à l'intention des collégiens. (Toute ressemblance entre les personnages de ses romans et ses anciens élèves ne saurait être que fortuite. *À priori*.) Robin est également l'auteur de *Ditched: A Love Story*. Elle vit en Californie avec son mari et son fils. Découvrez-en plus à son sujet sur www.robinmellom.com et suivez-la sur Twitter (@robinmellom).

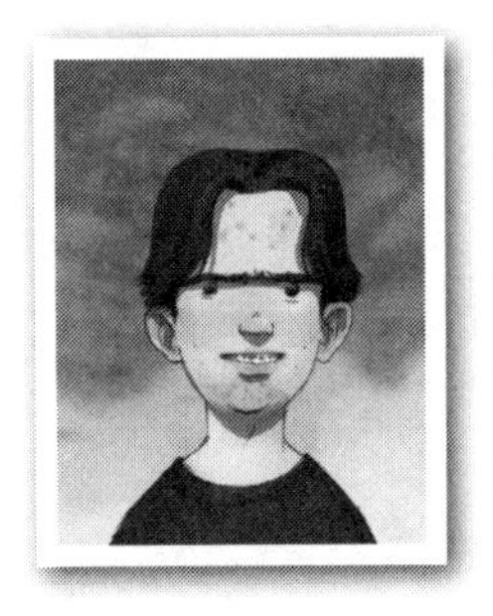

Par un hasard impliquant un bus scolaire, un labrador et vingt-quatre rouleaux de papier toilette, **STEPHEN GILPIN** a compris un jour qu'il serait artiste. Il s'y est appliqué depuis lors avec zèle et a illustré une trentaine de livres pour enfants. Il vit à Hiawatha, dans le Kansas, avec sa géniale épouse, Angie, et une ribambelle de gamins. Visitez son site Web : www.sgilpin.com

Achevé d'imprimer en juin 2015
par Normandie Roto Impression S.A.S. à Lonrai (Orne)
Dépôt légal : août 2013
n° 110267-9 (1502433)

Imprimé en France